KB178170

수상한 RB반

수상한 RB반

발　행 | 2024년 02월 01일
저　자 | 윤용한선생님과 RB반 아이들
펴낸이 | 한건희
펴낸곳 | 주식회사 부크크
출판사등록 | 2014.07.15.(제2014-16호)
주　소 | 서울특별시 금천구 가산디지털1로 119 SK트윈타워 A동 305호
전　화 | 1670-8316
이메일 | info@bookk.co.kr

ISBN | 979-11-410-6951-3

www.bookk.co.kr

수상한 RB반

윤용한선생님과 RB반 아이들 지음

CONTENT

2022년 5학년 학생들과 함께 만든 소설입니다.

이 책은 4학년 때 그림책, 5학년 때 소설책, 6학년 때 동시집으로 이어지는 자율교육과정의 일환으로 제작되었습니다. 4학년 때 그림책을 만들어 본 경험이 있는 학생들이 소설을 1학기 동안 만든 내용입니다.
학생들은 서로가 함께 글쓰기 과정을 거치면서 비슷한 내용은 함께 글을 쓰고, 함께 나누며 완성하였습니다.

글쓰기는 자신의 경험에서 비롯된다고 합니다. 학생들도 1학기 동안 자신이 경험했던 것을 기본으로 하여 글쓰기프로젝트를 운영하였습니다. 먼저 글쓰기를 하기 위한 제목, 소재, 등장인물, 사건의 흐름을 적어보고 발표를 통해 글감을 모았습니다.

이후에는 함께 글을 쓰는 시간을 틈틈이 가지면서 흐름이 같은 친구들과 글의 구성에 대해서 토의하였습니다.

마지막으로 글완성본을 가지고 저자출판기념회를 통해 자신의 작품에 대해서 발표하고, 이런 글을 쓴 이유를 나누었습니다.

교사와 학생이 함께 만들어가는 학급 자율교육과정을 통해 학생의 행위주도성을 높이고, 스스로 만들어가는 교육의 장을 만들어서 배움의 장을 함께 열어갈 수 있는 교육과정을 학생들이 스스로 만들어 갔습니다.

이를 통해 학생들은 스스로의 주도성을 갖추어 나가고, 학년이 올라가면 더 적극적으로 학급교육과정 운영에 동참하였습니다.

RB반(RainBow)은 무지개 빛 28명의 학생들이 모여 1년간 생활하면서 서로가 서로를 위해 노력하고, 서로에게 힘이 되어 주었습니다. 이 책을 RB반 모두에게 바칩니다.

이 책은 얼렁뚱땅 동시집으로 이어지는 첫 번째 소설집입니다.

– 윤용한선생님이–

제1편 골목길

곽지혜

1. 이야기의 시작

지금부터 이 이야기를 시작하겠다.

'골목길' 이야기에 대해서 말이다. 이 이야기는 내가 겪은 일을 말해주는 이야기가 될 것이다. 사람들은 언제나 불행과 만난다. 그리고 우리는 그 불행을 멈추려고 할 때 골목길과 만난다. 나도 내가 불행과 싸울 때 나의 동행과 함께 골목길 여행을 떠났다. 나는 고작 12살이지만 12년의 시간 동안 많은 변화가 있었다. 그리고 내 마음속에서도…. 어른들은 아이들이 무슨 생각을 하는지는 모를 것이다. 아니, 어쩌면 아예 관심도 없을 수도 있다. 어른들은 자신이 생각하는 대로만 믿으니까 말이다. 어떤 어른들은 아이가 어떤 마음을 가지고 있든 말든 상관하지 않는다. 그리고 아이들의 걱정은 쓸데없는 것이라고 말한다. 하지만! 어쩌면 아이들은 어른들보다도 더 많고 대단한 골목길을 걷고 있을지 모른다. 그리고 나도 그럴지 모른다.

2. 동행 그리고 시작

골목길 여행을 시작하기 전에 나와 함께 여행할 친구를 소개하려고 한다. 이름은 '나비'이고 내 반려냥이다. 나와 함께 10년 동안 같이 살았다. 나비와 함께 나의 골목길에서 이야기를 들려줄 것이다. 이제 골목길을 시작해 보자. 골목길은 너무 많아서 다 쓰지는 못하겠지만 내 기억에 가장 남는 이야기 몇 개를 적어보겠다. 골목길은 말하는 건 어려우니 종이에 써야 할 것 같다. 그 말은 결국 내가 쓰면 된다는 말이다. 그냥 페이지를 펼치고 연필로 문을 열면 된다.

'골목길'

<인생의 골목들을 말하다.>

3. 첫 번째 골목길 : 바이러스

내가 기억한 골목길 중에서 가장 힘들고 불행했던 골목길은 바로 코로나바이러스였다. 정말 걸릴까, 설마설마했는데 그것이 결국 우리 가족에게도 찾아왔을 때 너무나 당황해서 어떻게 상황이 돌아가는지도 몰랐다. 2주의 짧은 시간이었지만 그 2주 동안에는 가장 많은 골목길을 만났다. 혹시 상황이 너무 나빠진다면? 이런 생각이 말이다. 하지만 다행히도 잘 끝났고, 내가 걷고 있는 골목길의 모퉁이를 돌았을 때는 평온함과 정상적인 생활만 남아있었다. 그렇게 나의 첫 번째 골목길은 마무리되었다. 평온하고 행복하게 끝났다.

4. 두 번째 골목길 : 공부

공부는 어렵다. 열심히 하기가 어렵다. 나는 공부와 3년 전부터 싸워왔다. 어쩌면 내가 가끔은 공부에 휘둘리는 것 같았다. 4학년이 되었을 때 나는 그때까지 공부와 본격적인 전쟁을 시작하진 않았다. 본격적인 전쟁은 4학년 겨울방학이었다. 그때부터 나는 '시간제 공부'를 시작했고, 이때부터 나는 공부의 골목길을 시작했다. 그리고 이 골목길은 끝나지 않을 것이다. 왜냐하면 공부는 끝이 없고, 나도 끝까지 공부와 함께 할 운명이기 때문이다. 그래서 그 운명을 받아들이기도 쉽지 않다.

5. 세 번째 골목길 : 고양이

나의 세 번째 골목길은 바로 나의 동행과 관련된 골목길이다. 이 이야기를 쓰는 이유는 제2장에서 내 동행에 대해서 자세히 설명을 못했기 때문이다. 고양이(나비)는 원래 길고양이었는데 나와 나비는 할머니 댁에서 만났다. 처음 만났을 때는 아주 작은 하얀 아기고양이었다. 나와 나비는 금세 친한 친구가 되었고, 할머니 댁에 왔을 때마다 나비와 함께 놀았다. 오직 나비를 보기 위해서 할머니 댁에 가자고 엄마한테 조른 적도 있다. 그러다가 할머니께서 우리 엄마에게 이렇게 말씀하셨다. "이렇게 좋아하는데 차라리 너희 집에서 키워보는 게 어떻겠니?" 엄마는 무척 고민하셨다. 나도 어떻게 내 의견을 말해야 할지 망설여졌다. 고양이가 있으면 나야 좋지만, 병원도 가야 하고, 집도 꽤 넓어야 했다. 또 무엇보다 돈이 많이 들었다. 하지만 우리 가족은 한번 해보기로 했고, 골목길 모퉁이를 돌자 나비는 우리 가족의 일원이 되어있었다.

제2편 감옥탈출

김도연, 채서영

등장인물 : 최요나, 김도연(경찰), 미영채(경찰), 유서진, 최김하, 오미나, 안수현(싸이코패스)

1장 등굣길

나는 최요나다. 오늘은 오미나와 함께 등교를 하고 있었다,

"야야 너 그거 알아...? 우리 학교에 떠도는 괴담!"

"몰라. 괴담 싫어하는 거 뻔히 알면서..!"

"ㅎㅋㅋ 알았어 ㅎㅋ"

오늘도 최요나와 오미나가 같이 등굣길을 발 마추며 걸어갔다. 신호등 앞이었다. 최요나와 오미나는 유서진과 마주쳤다.

유서진은 오미나한테 눈인사를 했다.

"야야. 얼른 가자. 신호 바뀌겠네."

최요나는 유서진과 함께 있기 싫어서 오미나의 팔을 잡아 당겼다.

"그래. 신호 곧 끝나겠다."

오미나도 유서진이 좋은 눈치는 아니었다.

유서진이 이렇게 따돌림의 대상이 된 이유는 따로 있다.

원래 유서진은 반에서, 아니 그보다 더, 거의 전교에서까지 인기가 많았다... 아니. 많았었다.

그런데 아마 유서진이 목숨을 걸고 최김하를 꼬셨나 보다.

그 결과. 유서진은 인기가 떨어졌고, 그 와중에 최김하는 유서진을 받아주었다.

그리하여 유서진의 목표가 바뀌었다.

바로 오미나와 친해지기.

오미나는 인기도 많고 사교성도 매우 좋아서 일단 친해지는 애들은 바로 인싸로 거듭난다.

유서진은 오미나처럼 인기가 많아지고 싶었던 한마디로 꿈이 크다.

유서진은 곰곰히 생각해 보았다.

'어떻게 하면 최요나와 오미나를 갈라놓을 수 있을까?'

곰곰히 생각하던 끝에 유서진은 스마트폰을 들었다.

전화번호 '112'번을 치고 학교로 발걸음을 옮겼다.

학교에 도착하니 최요나와 오미나는 공기놀이를 하고 있었다.

오미나는 공기놀이를 엄청나게 좋아했다. 특히 오미나는 최요나와 공기놀이 하는 것이 가장 즐겁다고 했다. 유서진은 최요나에게 다가가며 말하였다.

2장 학교옥상

"저기~ 최요나"

유서진은 차갑게 최요나를 불렀다.

그 바람에 최요나의 손등에 올려진 공깃돌 4알이 우수수 떨어졌다.

"어머.... 미안해 떨어트릴려고 그런건 아닌데.."

유서진이 비꼬듯이 이야기했다.

".......괜찮아..근데.. 왜 불렀어?"

최요나도 지지 않고 쏘아보았다.

"이야기하고 싶은게 있어서 부른 것 뿐이야. 옥상으로 따라와~"

유서진의 입꼬리가 씰룩거렸다.

"그래 따라갈께..."

최요나가 절대 지지 않겠다고 다짐하고 유서진을 따라간다.

"요나야... 정말 괜찮겠어? 안 가는게 좋을 것 같은데.."

오미나가 최요나를 걱정했다.

"설마 무슨일 있...겠어? 걱정마...!"

최요나는 태연하게 유서진을 따라갔다.

유서진이 웃음을 참으며 옥상으로 올라갔다. 그때 최요나는 많은 생각이 들었다.

"얘는 왜 날 부르지?"

무슨 일이 꼭 있을 것 같아..

유서진은 요나에게 이야기했다.

"요나야. 진~~짜 미안하다. 아니 진짜 안 미안하다~" 그리고 서진이는 곧바로 '112'로 전화했다.

최요나는 그 얘기가 당최 무슨 뜻인지 이해가 안되던 찰나, 갑자기 정문 쪽에서 사이렌 소리가 들렸다.

'에에에에에에에에에에엥 에에에에에엥'

최요나는 소스라 치게 놀랐다. 그 경찰차에선 김도연 경찰과 그의 조수 미영채가 나왔다.

김도연 경찰이 얘기하였다.

"최요나씨, 당신을 체포하겠습니다. 저희와 같이 경찰서로 와 주세요"

최요나는 얘기했다.

"체포요? 아...아니.... 저는 친구와 고..공기... 아 아니, 공기놀이를... 하... 하고 있었는데... 유..유서진이 와서... 옥상으로... 따..따라오라고 하더니.. 이...이런 일을 벌...벌일 줄이야...? 이...이건 유서..진의 장..난 전화라구여...!!!!!!!!!!!!........."

"저기 요나야... 연기 구린뎁... 그리고 귀여운척 하지마.. 내가 너한테 많이 당해서 결국 신고까지 하잖아? 솔직히 말해. 거짓말로 시간이 더 길어지지 않기를 바라...!!"

최요나는 싫다 못해 소름까지 끼쳤다. 그냥 이상한 애인줄만 알던 애가 저란 이상한 말도 내뱉는구나..

최요나는 어쩔 수 없이 경찰을 따라 경찰서로 갈 수밖에 없었다.

3장 CCTV

미영채 경찰은 김도연 경찰과 최요나를 대리고 1:1 상담실로 이동했다.

"유서진한테... 심한 폭력을 저지르신거 맞나요....?"

마치 요나가 엄청 잘못한 것 같이 이야기했다.

'그래도 증인은 없잖아.. 내가 그런 일을 저지를 이유가 없잖아.'

요나가 하는 말은 거의 다 들어 맞았다. 그런데 증인이 있다면 의심 가는 아이가 있다.

전에 고양이를 키우고 싶어했던 은서에게 고양이가 꼭 생길거라고 하니깐 고양이가 2주네로 진짜 생겼다. 또 1달전에 절때...절때 가망없는 체육대회에서 1등을 할거라고 하니깐 진짜로 1등을 했다. 그리고 유서진은 증인을 만들 정도로 철저한 놈이 아니다. 그래서 증인 따위는 없을 거라 생각했다... 약간은 있을 것 같았지만.... 없을 것 같았다. 그런데 하늘도 참 무심하지. 유서진이 증인을 데려왔다. 있을 거라고 생각하지도 않은 증인이 나타났다. 하얀 점퍼를 걸치고 모자를 푹 눌러 쓴....

'그래... 최김하가 분명했다.'

목소리도 완전 최김하었다.

최김하가 요나를 째려보며 말했다.

"제가 똑똑히 봤습니다! 100,000원을 달라고 하면서 협박과 폭행을 했어요...."

이건 분명 최김하와 유서진이 짠 것이 분명하다.

분명 100% 짠 것이다.

김도연 경찰이 요나를 째려보며 말했다.

"학생, 이래도 계속 거짓말을 할 건가요?"

미영채조수가 CCTV 화면을 가르키며 말했다. 그건 100% 가짜 영상이었다. 바로 요나가 유서진을 때리며 협박하는 장면들이 들어 있었다. 건 진짜 최김하의 편집영상이 분명했다.

"아니.... 저 진짜,,, 아니에요!"

하지만 아무도 내 말을 믿지 않았다.

그저 CCTV를 보고 있을 뿐이었다.....

4장 누명

요나는 결국 누명을 쓰고 감옥에 갇혀 지내게 되었다. 요나는 하루빨리 이 감옥에서 탈출할 방법을 찾아야만 했다. 그래서 요나는 주위를 둘러보며 탈출구를 찾았다. 그리고 유독 요나 눈에 들어 온 것은 작은 환풍구였다. 들어가기엔 작았지만 그래도 지금 요나는 그게 대수가 아니었다. 그러나 요나 머리에 스쳐 간 장면이 있었으니..바로 자신이 탈출하고 그 뒤에 무슨 일이 생길지에 관한 내용의 장면이었다. 요나는 자신이 탈출한 후 어떠한 일이 일어날지 생각을 했기에, 그냥 평화롭게 대화로 이야기하고 싶었다.

"저.. 저기요~"

요나는 지나가는 경비를 불러 지금까지 일어났던 일들과 자신은 감옥에 갇힐 이유가 없다는 것들을 평화롭게 자세히 얘기하였다. 그렇지만 돌아오는 대답은 차가웠다.

어쩔 수 없었다. 요나는 선택의 여지 없이 저 작은 환풍구를 통해 탈출해야만 했다.

요나는 지나가는 길에 갔고 왔던 십자 드라이버가 생각났다. 이제 요나는 탈출만 하면 되는 상황이 되었다. 요나는 현재 이런 일을 겪게 되었으니 이보다 더 나쁜 일들은 상상하지 않고 십자 드라이버로 환풍구의 철문을 열었다. 요나는 환풍구 안에 얼마나 있었을까?

너무 많이 있던 거 같던 요나는 이제라도 포기하고 '다시 돌아갈까?' 라는 생각도 들었다.

그렇지만 이제 다시 돌아가면 자신이 탈출 시도를 한 것을 들킬까봐 너무 무서워서 돌아가지는 못 할 거 같았다. 그래서 그냥 계속해서 앞으로 갈 수밖에 없었다.

5장 환풍구.

얼마나 간 걸까.. 체력이 바닥난 요나는 그 곳에 누웠다.

'으아.. 이거 어떻게하지..? 이러다간 탈출도 못하고 잡힐 거 같아! 조금 더 앞으로 가 볼까..?'

하고 앞으로 나가는 순간 어딘가로 빠지는 느낌이 들었다. 요나는 정신을 잃은채로 떨어졌다. 요나는 얼마나 떨어졌는지, 기억이 나지 않았다. 단지 알고 있는 건... 다시 감옥 안이라는 것이었다! 근처에 경찰들은 감옥 위에서 순식간에 일어난 이 사건에 대해 놀라움을 감추지 못했다. 곳곳에서 기자들이 오는 것을 김도연 경찰이 막았다.

"이 사람은 탈옥을 시도한 것 뿐입니다. 그렇게 많은 기자들이 취

재하고 그럴 필요는 없습니다. 그러니 안심하고 가셔도 됩니다. "

　기자들은 김도연 경찰의 말에 물러났고 그 일에 관한 뉴스는 2개 정도 나오게 되고 더 이상 뉴스기사가 나오지 않았다. 요나는 다시 감옥으로 가게 되었고 경찰과 1대 1 상담을 하게 되었다. 김도연 경찰이 말하였다.

　"왜 탈옥하실려고 했지요? "

　'기회다!'

　라는 생각이 든 요나는 자신이 억울하게 감옥에 갇힌 이유와 있었던 일, 그래서 탈옥을 시도하였다고 말하였다. 그렇지만.. 여전히 경찰의 반응은 시큰둥했다. 김도연 경찰은 한번 더 이 일이 일어나면 정만 큰 일이 날 수 있다고 하였다.

　밖에서 1대 1 상담을 숨죽이며 지켜보고 있는 사람이 있었으니.. 바로..그 사람은 바로... 오미나! 미나가 여기 온 이유는 따로 있다.

　6장 그날의 진실

　미나는 집에서 요나의 행방에 관한 이야기를 찾다가 '감옥탈출 시도한 어린이 환풍구에 떨어져 큰 놀라움을'이라는 제목에 흥미가 생기게 되어 뉴스를 눌러 보았다. 근데 이게 왠걸 그 뉴스의 주인공이 자신이 찾던 최요나가 아닌가. 그 순간 미나는 모든 게 이해가 갔다. 요나는 빠르게 유서진에게 톡을 보냈다.

유서진! 너가 요나 감옥보냈지?

무슨 소리야,, 걔가 나한테 100000원 달라면서 학폭했는데.. 나는 그저 학폭죄로 신고한 것 뿐이야.

무슨 소리야! 요나는 그럴 애가 아니라고!! 내가 그날 증거를 찍어놨거든!!!

그래 그날이다. 유서진이 최요나를 옥상으로 불러낸 날. 즉 사건이 시작된 장소 말이다. 미나는 요나가 걱정스러워 그날 요나를 따라간 것이다. 그리고 유서진이 말하는 것부터 경찰이 오는 것까지 모두 찍어 둔 것이다. 그리고 서진이가 요나에게 누명을 씌울 때까지 기다린 것은 서진이에게 더한 처벌을 주려고 기다린 것이다. 그때 '띠링' 미나가 생각하는 사이에 유서진이 문자를 3번이나 보내놨다. 미나는 '진짜 얘는 무슨 생각으로 이런 거지'라고 생각하고 무언가에 홀린 듯이 서진이에게 온 문자를 확인했다.

너 그 영상 퍼트리면 난 피코를 또 할 수 있어..그리고 영상도 가짜라고 잡아떼면 되고. 잘 생각해. 너의 그 발언 하나로 요나가 얼마나 위험해질지.

7장 갈림길

오미나는 애는 대체 뭐지 라고 하며 잘못 본 거 같은 눈을 비비고 다시 봤을 때는 그 메시지가 삭제되고 'ㅋㅋㅋㅋ'이라고 씌어 있었다. 이제 미나는 선택을 해야 했다. 첫 번째 선택은 위험을 면하는 것. 유서진의 말 따라 증거사진을 경찰에게 보여주지 않고 집으로 간다. 또 두 번째 선택은 우정을 걸고 요나를 구해주기 위해 어떻게든 증거사진으로 요나의 무죄를 밝히는 것.

"어..어..어떻하지.." 미나는 너무 고민했다.

잠시후 미나는 결정을 하였다. 30%의 확률로 감옥에 안 갈 수 있다는 생각으로 겉옷을 걸치고 경찰서로 향했다.

"한번 더 이 일이 생기게 되면 정말 큰일 날 수도 있습니다. 조심하세요..."

그때 미영채 경찰이 빨간색 후드티를 입은 여성과 함께 상담실로 들어왔다.

"어? 아직 끝나지 않으셨나요?"

미영채 경찰이 이야기했다.

"아니예요. 지금 나옵니다. 옆에 계신 분은?"

김도연 경찰이 이야기했다.

"아..이 사람은 관계자도 아닌데 경찰서에 온 오미나..."

"잠깐..."

미영채 경찰이 이야기하는데 빨간 후드티를 입은 여성이 미영채 경찰의 말을 끊었다.

"최요..나? 요나 너야..?"

어? 낯선 사람이 요나의 이름을 브루자 요나는 당황했다.

"네..네? 저..저요? 제가 요나 맞긴한데..."

"요나야! 보고 싶었어! 저 요나 친구인데 지금 요나는 엄청 억울하게 누명을 쓰고 감옥에 가두어진 거라고요!"

"?!" 요나는 너무 당황했다. 이 사람이 누구인지 머리를 쥐어짜 보았다.

'내 친구? 빨간 후드티? 내가 누명쓰고 감옥에 간 건 어떻게 알지?'

요나는 기억해 내려 했다.

"오미나! 너야?"

결국 그 사람이 누구인지 알아냈다.

상황은 빠르게 정리되지 못했다. 미나는 설명하고, 요나는 울고 앉자 있고, 미영채 경찰은 요나를 위로하고 있는 데다 김도연 경찰은 미나의 말을 하나도 믿지 않았다. 얼마나 지났을까 상담시간이 끝나 버렸다.

그 시각 유서진은 자신의 집에서 편안하게 잠을 청하고 있었다.

"에에에에에에에에엥~ 에에에에에에에엥"

그런데 갑자기 유서진 집 앞에서 요란스러운 사이렌 소리가 들렸다.

'훗. 역시 올 줄 알고 있었다구~? 지금까지 내가 계획하고 있던 완벽한 계획을 실행으로 옮겨볼까!'

유서진이 음산하게 웃기 시작했다.

"저기 혹시 유서진양 계시다면 나와 보세요."

김도연 경찰이 말했다.

유서진은 아무 것도 모른다는 듯이 대답을 하였다.

"네! 그런데 누구시죠?"

"경찰입니다. 혹시 시간이 되신다면 같이 경찰서로 임의동행 해 주셔야 겠습니다."

"어머..갑..자기요? 왜 무슨 일이신가요? 무슨 일이라도?"

"유서진 당신은 현재 사건 용의자입니다."

"네?..알겠어요. 무슨 일이진 일단 나올께요!"

그리고 유서진은 옷을 준비하고 재미있다는 얼굴로 현관문을 열었다.

유서진과 함께 경찰서에 오니 또 지긋지긋한 상담실로 들어가게 되었다.

"오미나씨? 영상의 USB를 주시겠어요?"

김도연 경찰이 빨리 주라는 눈빛으로 미나를 째려 보았다.

"네! 여기 있습니다."

미나도 기싸움에선 지지 않겠다는 표정이었다.

"아요. 한번 볼까요?"

그 영상에는 유서진이 최요나에게 한 짓이 분명이 들어나 있었다.

"음..유서진씨?"

김도연 경찰이 유서진을 약간 당황한 것처럼 보았다.

"앗..? 이게 뭐죠? 편집 영상이잖아요. 저기 미나야. 편집 좀 잘한다. 이거 편집이예요."

그러자 미나가 반박을 하며 말하기 시작한다.

"유서진이 가져 온 영상은 유서진이 말한 피해 시간과 경찰이 출동한 시간이 달라요."

그렇게 밝혀진 진실. 오미나는 최요나와 함께 진실이 얼마나 소중한 것인지를 유서진에게 알려주었다. 하지만 유서진이 감옥에 가는 걸 원치는 않았다. 유서진도 함께 친해지고 싶은 마음에 그런 행동을 한 것이라 생각했기 때문에 서로를 용서했다. 유서진도 눈물을 흘리며 최요나에게 사과했다. 이후 우리는 친한 단짝이 되었다.

제3편 수상한 단톡방의 아이들

김소유

Chepter1 단톡방과의 만남

　내 이름은 김혜소. 나는 아주 평범한 아이다. 나는 4학년을 끝내고 방학을 했다. 그래서 나는 푹 잘 수 있었다. 하지만 알람 소리를 듣고 7시에 일어나 핸드폰을 보며 잠을 깨고 있었는데 '카톡' 카톡이 왔다. 나도 모르는 사람이어서 잘못 보낸 것이라고 생각하고 무시했다. 그 사람이 나에게 또 카톡을 했다. 그 후로도 5분 간격으로 카톡을 보냈다. 나는 짜증이 나 확인하고 끝내려고 귤 한조각을 우물거리며 확인했다. 그 사람은 비밀암호 같은 것을 나에게 보냈다. '사진을 확인해 주세요. 그리고 지금부터 보내는 것을 그대로 해주시기 바랍니다. 먼저 google에 들어가 제가 보낸 링크를 검색해 접속해 주세요. 링크는 link@strange/501children!!! 입니다.' 나는 처음에 모르는 사람이 보내 걱정이 돼서 해보지 않았지만 호기심을 참을 수 없어 들어가 봤다. 하지만 없는 링크라고 했다. 나는 허탕을 친 줄 알고 한숨을 쉬었다. 그래도 혹시 몰라 아래로 내려 봤다. 나는 거기에 있는 아주 조그마한 링크를 봤다. 자세히 보니 그 사람이 보내준 링크와 100% 일치했다. 나는 어떻게 들어가는 건지 몰랐는데 다행히 거기에 빨간색 화살표로 'click the button'이라고 쓰여 있었다. 그래서 그 버튼을 누르니까 거기에 단톡방 화면이 나오더니 음성이 나왔다. "드디어 마지막 회원이신 혜소님까지 로그인을 하고 들어오셨군요, 여기는 당신들의 이야기를 털어 놓고 다른 분과 친해질 수 있는 곳입니다. 이제 여러분은 이 이상한 501 단톡방 일원이고 저는 항상 이곳에 있을 거예요. 저는 여러분이 필요로 할 때가 아닌 당신들이 꼭 도움이 필요할 때 다시 올 것입니다." 나는 이 말을 듣고 누군가 있는지 확인했다. 이 이상한 501 단톡방에는 내가 아는 아이도 있었고 내가 모르는 아이도 있었다. 그러자 공지가 하나 떴다. '501이 써져 있는 곳을 파시오.' 우리는 번호가 있는 아이들끼리 문자를 하고 카톡으로도 투표해서 3시 30분에 우리 송정초등학교 정문에서 만나기로 했다. 나는 10분 정도 걸려 3시 20분에 집을 나섰다. 처음에는 다 어색해할 줄 알았는데 모두 나를 반갑게 받아 주었다. 우리는 다 살펴봤지만 그 어디에서도 501이라고 적혀있는 곳을 발견하지 못했다. 그래도 우리 사이는 더 돈독해졌다. 나는 이것이 오히려 좋은 일이라고 생각했다.

우리는 같은 반이면 좋겠다는 생각을 하며 옆에 있던 놀이터에서 신나게 놀다가 집에 갔다. 그중에 몇몇은 가는 길이 똑같아서 같이 갔다.

Chepter2 학교에서의 만남

1달, 2달, 3달이 금방 지나갔다. 그동안 정말 재미있는 일들이 많이 생겼다. 나는 가족과 같이 해외여행도 가고 내가 보고 싶던 영화도 보고 캠핑도 가고 새 친구와 내가 좋아하는 책도 받았다. 하루하루가 즐거웠다. 하지만 이제 내일이면 개학이다. 나는 너무 설렜다. 그리고 나는 이상한 501 단톡방 아이들과 같은 반이 되고 싶었다. 우리는 방학 동안에 했던 일이나 재밌는 이야기를 말했다. 나도 처음에는 이상하다 생각했는데 이제 보니 괜찮은지도 모르겠다. 그래도 이 단톡방은 이상하고 수상한 점이 많다. 나는 그날 밤 창문을 보고 있었다. 집들의 불이 하나하나 꺼졌다. 그래서 나도 그만 잠을 청했다.

다음날, 엄마는 나를 예쁘게 해주겠다고 그리고 첫인상이 젤 중요하다고 그러니까 투정 부리지 말고 입으라며 나에게 옷을 줬다. 엄마는 매우 급하게 움직였다. 그래도 첫인상이 제일 중요한 것이 맞으니 졸린 눈을 비비며 세수를 하고 양치를 하고 엄마가 준 옷을 입었다. 엄마는 크로스 백 하고 새 가방하고 필기구를 넣고 현관 옆에 두고 내 머리를 예쁘게 5갈래로 얇게 따아주셨다. 그리고 그 머리를 다시 똥머리로 하고 머리띠를 하고 핀도 해주려고 하셨는데 나는 괜찮다고 했다.

'엄마는 무슨 항상 개학식 날마다 그래. 휴 설마 중학생때까지 이렇게 하시는 건 아니겠지!' 라는 생각을 하며 책가방과 실내화 주머니를 들고 집을 나섰다.

"안녕 혜소야!!"

"어, 안녕, 지한아. 오랜만이네 너 몇 반이야"

"난 다 반이야 너는?"

"어! 너도 나도 다 반이야! 우리 같은 반이네!!"

우리는 길을 가던 도중 서로 만났다. 우린 어릴 때부터 친했고 지금도 친하지만 7살 이후로 한 번도 같은 반이 된 적이 없었다. 참고로 지한이도 우리의 수상한 그 단톡방에 있다. 우리는 그 동안 일을 아무렇지도 않게 말했다.

"소혜야. 내가 친구 없어서 얼마나 당황한 줄 알아!"

"아이구, 그랬어. 그때 정말 너 아기였는데 난 너가 없어서 말할 사람도 없어서 불편했어. 그나저나 남자애들이랑도 못 친해졌어. 처음에? 나는 늦게 친해지는 편인거 알지? 그래서 오래 걸렸는데. 지금은 아니야. 히히"

"나는 그냥 어떤 남자애가 말 걸어서 친구 됐어. 아주 순식간에 그런데 이번에는 같은 반은 못 됐어. 그나저나 나 2학년 때는 완전 신나게 놀았었는데."

"나도!!!"

그렇게 이야기를 하며 가다 보니 벌써 횡단보도도 건너고 우리도 모르는 사이에 우린 실내화를 갈아신고 계단을 올라가고 있었다. 우린 다 반을 찾아봤다. 우리 단톡방과 걸맞게 5-1이 들어간 5-1 반이 됐다. 나와 지한이는 짝궁은 아니었지만 같은 모둠이었다. 우리는 그날 친구 이름 외우기랑 선생님과 친구들에 대해서 알아봤다. 그 날 우린 정말 행복했다. 우리는 그리고 쉬는 시간에 단톡방에 대해 이야기했다. 어떤 아이는 위험한 거 아니냐고 물어보고 그 음성이랑 이 단톡방은 선생님이 만들었을 것이다. 라는 의견도 니

왔다. 그리고 그날 오후 또 공지가 떴다. '눈치채셨나요?'라고 적혀 있었다. 그러자 호스트가 '너희들은 모두 같은 반이야.'라고 보냈다. 그리고 보니 맞는 말이었다. 내 짝궁 수연이도 이 단톡방에 있다. 우린 모두 깜짝 놀랐다.

'정..말....이..네'

'뭐야 진짜네'

'어떻게 이럴수가....'라며 모두들 놀랐다. 나도 너무나 놀랐다. 한 마디만 했을 뿐인데 내일 우리 반이 아수라장이 될 것 같았다. 나는 그날 밤 눈을 동그랗게 뜨고 그 단톡방을 들어가 놓고 만지작거리고 있었다. 그 순간 내 동생 김혜지가 춤이랑 노래를 불렀다. 그 상황에서도 부모님은 너무 졸리셨나 본지 바로 아래층인데 잘 자고 계셨다. 나는 2층으로 올라가 그만 자라고 했다.

"얼른 자,"

"흥, 싫어 난 나중에 꼭 유명한 아이돌이 될 거야!! 언니 나 이제 떠나면 못 만날 수도 있는데 사진 찍을래? 아니면 내가 유명해져서 싸인못해 줄 수도 있는데 지금 해줄까? 아니면 나중에 기사 뜨게 같이 자 줄까?"

"아니. 다 필요 없어. 너 그냥 언니랑 같이 자고 싶은 거잖아!"

"빙고! 나 데려가."

"알겠어. 대신 조용히 해"

그렇게 일을 수습하고 다음 날 우리 반은 난리가 났다. 어제 그 이상하고 수상한 단톡방에서 있었던 일로 말이다. 게다가 사실 오늘 아침 공지가 떴는데 그것은 바로 오늘 보물찾기를 팀별로 할꺼라고 했는데 실제로 오늘 가보니 선생님이 칠판에 쪽지를 찾아 가져오면 선물을 준다고 했다. 우리 팀은 찾아서 선물을 1등으로 받았다. 선물은 맛있는 간식이었다. 다른 팀도 찾아 맛있게 먹으며 1교시인 사회를 했다. 우린 그날 너무 행복했다. 그 후 공지가 안 뜨더니 오늘 3월 18일 오랜만에 공지가 떴다. 거기에는 '오늘 시험을 보니 잘 공부하는 것이 좋습니다.' 라고 되어 있었다. 이것을 들은 우리는 공부를 했다. 그리고 다른 공지도 있었는데 오늘 공부를 아주 빡세게 할 것이라고 되어있었다. 우리는 학교에 가 공부를 하고 있는데 선생님이 들어와서 우리를 보더니 "내가 말 안 했는데 오늘 4학년때 배운 거랑 5학년 꺼 시험 보는 걸 어떻게 알았니?" 우린 진짜로 시험을 봐 놀랐다. 왜냐하면 장난일 줄 알았기 때문이다. 그리고 오늘 아주 빡세게 공부했다. 그래도 우린 뭐 이 정도까진 예측할 수 있는 일이라고 생각했다.

Chapter3 이야기의 끝

하지만 그 후로도 계속 공지가 떴고 그것은 언제나 옳았다. 우린 이제 그 단톡방을 정말로 수상하게 느꼈다. 그래도 이제 우린 알람 소리가 들리면 바로 일어나거나 확인한다. 그 단톡방 말대로 내가 반장이 되고 소설 쓰기를 하고 운동회에서 우리가 이기고 선생님 축하 파티를 하고 마니또도 했다. 아직도 너무나도 수상하지만 우리에게는 이제는 너무나도 고마운 존재다. 아직도 이 링크를 준 고마운 사람을 우린 모른다. 하지만 하나는 안다. 501이 적혀 있는 나무는 우리 반이고 우리는 나뭇잎이고 선생님은 이 나무를 지탱

해주는 고마운 존재인 뿌리고, 이곳을 파보면 우리의 그 동안의 추억, 현장학습, 친구, 우정, 선생님이 있다. 우리는 이제 그곳을 한마디로 <아주 고마운 501의 수상한 단톡방> 이라고 한다. 앞으로 남은 5학년을 이곳에서 지낼 것이다. 이번 생의 5학년은 너무나도 특별했다. 그리고 나는 저번에 학급문집을 만들 때 이 단톡방의 도움을 받아 친구들의 의견을 들을 수 있었다. 난 지금 이 순간순간들이 너무 행복했다. 나의 5학년은 정말 휘황찬란했다. 이제 그만해야겠다. 내 5학년이 이제 몇일 밖에 남지 않았다. 내 후배들도 이 단톡방을 잘 사용하고 그 아이들도 이 말이 무엇인지 알아들으면 좋겠다. 우리는 이 단톡방의 비밀을 우리끼리만 일단은 가지고 있기로 했다. 아마 내일은 방학식일 것이다. 그럼 그 아이들도 링크를 받겠지... 그 아이들은 우리가 못 푼 이 링크의 주인을 발견해주면 좋겠다.

에필로그1

"오늘은 방학식이구나......"
"나의 5학년아 잘 가 잊지 않을께 사랑해"
우린 앞으로도 이름명만 바꿔서 이곳에서 계속 지낼 것이다.
다음날....
그것은 우리만을 위한 것이었을까 다른 아이들에게는 링크가 오
지 않았다.

에필로그 2

우린 그 사람을 찾아 나섰다. 그리고 누군지 알아냈다. 그리고 왜 다른 아이들에게는 링크가 안 가게 되었는지 알았다. 우린 5-1 반이 된 100번째 아이들이라서 선생님이 우리에게 선물을 준 것이었다. 그리고 선생님이 써준 편지를 각자 선물과 함께 받고 우리도 우리가 준비한 선물과 편지를 드렸다. 우린 서로의 편지를 읽고 난 다음 우리는 모두 울었다. 나는 너무 고마웠다. 그 내용은 이랬다. "안녕. 혜소야! 우리 학교 100번째 5-1반이 된 혜소야. 너는 참 똑똑하고 착하더구나, 혜소를 보며 웃기도 자랑스럽기도 하더구나. 앞으로도 건강하게 지내면 좋겠구나. 혜소야. 선생님의 소원이다. 그리고 너의 끈기있고 포기하지 않고 성실한 그 모습 유지하렴.

　　　　　　　　　　　From. 너의 선생님이　　　　"

선생님도 우셨다. 우린 서로를 안아주며 우리의 5학년을 마무리하였다.

제4편 무서운 이야기 동아리

도세라, 서하은

챕터1 : 토끼눈

"아 힘들어 수학 너무 싫다."

"그러게 나도 수학은 싫어"

"아, 근데 복도 끝에 무서운 이야기 동아리라는 동아리 반이 생겼던데?"

"그래. 그럼 오늘 학교 끝나고 가보자!"

이 두 아이는 쌍둥이이다. 2분 먼저 태어난 첫째 서승박, 둘째는 서마리이다. 남매는 학교가 끝나고 동아리반에 가보았다. 그런데 동아리반 문이 조금 이상했다. 교실 문보다 밝은 갈색에 학교 문보다 좀 더 큰 것 같은 문이었다. 그리고 사람은 남매까지 3명이었다.

"안녕. 난 이 동아리반 반장 박주형이라고 해"

"이 동아리반은 무서운 이야기를 돌아가면서 말하는 거야"

"그럼 나 먼저 할래!"

첫 번째 이야기는 둘째인 마리가 먼저 하기로 했다.

(이 이야기는 지어낸 이야기입니다.)

　이 이야기 제목은 토끼눈이고 주인공은 서은하라는 아이가 겪은
거야. 은하는 토끼를 키우고 있었어. 그런데 은하가 키우는 토끼는
성격이 너무 사나워서 토끼의 주인인 은하도 무서워했지. 그리고선
저녁에 토끼에게 밥을 주러 갔는데 토끼가 은하의 손가락을 물어버
렸어. 그리고 다음날 은하의 눈은 빨갛게 되어 있어서 엄마가 급하
게 안과에 데리고 갔는데 의사선생님도 증상을 모르겠다는 거야.
그래서 그냥 은하는 '내일쯤에는 풀리겠지' 하는 마음에 잤어. 하지
만 다음날에 은하의 눈앞이 빨간색으로만 보이고 키도 작아진 것
같아서 거울을 봤는데 온 몸에 하얀색 털도 나고 길쭉한 토끼 귀가
나 있는 거야. 한마디로 토끼가 된거지. 그리고 다음날에는 완전히
토끼가 되어 버렸어. 그런데 이상한게 은하의 엄마, 아빠도 다음날
에 은하라는 아이가 누구인지조차 잊어 버린거야.

　"오 무서운데"

　"이번에는 내가 할래"

　두번째로는 승박이가 하기로 했다.

　챕터2:흉가 체험

(이 이야기는 지어낸 이야기입니다.)

　이 이야기는 이숭재라는 아이가 겪은 이야기야. 숭재는 외할아버
지 제사여서 외가가 모였어. 그래서 사촌들도 모였는데 12살인 이
잔석, 10살인 이둥이, 13인 숭재까지 합해서 3명이 모였어. 이 3명

은 무서운 걸 좋아해서 옆에 있는 흉가에 가기로 했어. 그때는 아침이어서 어른들이 자는 밤에 가기로 했지. 이윽고 밤이 되고 어른들이 다 자서 아이들은 흉가에 갈 준비를 했어. 그리고 집을 나와 흉가에 갔는데 4층짜리 흉가라 앞에서 보면 너무 무서웠지. 그리고 3명은 4층에 올라갔는데 이둥이가 갑자기 귀신에 씌인 것처럼 이상한 말을 해서 빨리 계단을 내려 갔어. 하지만 아무리 내려가도 4층이야. 그리고 그걸 알았을 때는 이미 늦었어. 숭재의 뒤에서 우드득 으드득! 소리가 나서 뒤를 돌아보니깐 눈은 하얀색이고, 머리는 산발인 귀신이 쫓아 와서 그 아이들을 잡아 갔어. 다음날 어른들은 실종 신고를 했어. 하지만 그 아이들은 실종이 됐어. 그리고 지금까지도 그 아이들을 찾을 수 없어.

"와, 엄첨 무섭네"

주형이는 몸을 떨었다.

챕터3 : 색맹

"이번엔 내가 할게."

"이 이야기는 한 선생님이 겪은 이야기야."

(이 이야기는 지어낸 이야기입니다.)

선생님 반에는 조금 특별한 아이가 있었어. 미술시간에 가족을 그리는 시간이었는데 그 아이는 엄마, 아빠, 여동생 그리고 자신을 그렸지. 그런데 엄마가 침대에 누워있고 엄마 옆에를 초록색으로 그린 거야. 그래서 선생님은 아이에게 물어봤어. 그러자 아이는 우리 집에는 이끼가 있다고 했어. 그걸 들은 선생님은 뭔 말인지 몰랐지.

그리고 학교가 끝나고 선생님은 우연히 카페에서 학부모님들을 만났어. 선생님은 부모님들에게 그 특별한 아이에 대해 물어 봤지. 학부모님들의 이야기를 들으니 소름이 끼쳤어. 그 아이의 엄마는 가출을 했는데 아빠가 다시 엄마를 데리고 왔어. 그리고 그 아이에게는 빨간색을 초록색으로 보는 색맹이 있던 거야. 한마디로 그 아이의 집에 이끼는 빨간색 피였던 거지.

"조금 잔인하네."

챕터4:하이힐 소리

다음날 학교가 끝나고 승박이와 마리는 동아리 교실에 찾아갔다.

"오! 왔구나."

이번엔 주형이가 하기로 했다.

"이 이야기는 한 경비아저씨가 겪은 일이야."

(이제부터 이야기의 상황으로 들어갑니다.)

이 경비아저씨는 야간 순찰을 갈 때 경비아저씨의 친구가 해줬던 무서운 이야기가 생각났어. 그 이야기가 뭐냐면 아저씨가 순찰하는 건물은 하이힐 소리가 밤마다 난다는 이야기를 해줬어. 하지만 아저씨는 믿지 않았지. 왜냐하면 아저씨가 순찰하는 바닥은 스펀지로 폭신한 바닥이고 아저씨가 신고 있던 신발마저도 검정구두가 아니었고 폭신한 재질로 만들어진 신발이었기 때문이야. 그런데 아저씨의 뒤에서 또각또각 하이힐 소리가 나는 거야. 하지만 그 하이힐 소리는 맨바닥에서 들리는 소리가 아닌 것 같아서 혹시나 해서 천장을 봤는데 머리가 긴 귀신이 하이힐을 신은 채 아저씨를 향해 웃으면서 아저씨를 잡아먹으려고 입을 벌리고 있었지. 아저씨는 충격을 받아 기절을 했어. 그리고 아저씨를 발견한 사람은 아저씨와 같이 순찰을 하던 아저씨의 선배였어. 알고 보니 아저씨가 순찰하던 건물은 예전에 한 사연이 많은 여자가 살고 있었는데 여자가 죽은 채로 발견됐어. 근데 이상한 점이 그 여자가 하이힐을 신고 죽어 있었던 거야.

"으! 겁나 소름끼쳐!"

챕터5 장난전화

"그럼 이제 내가 할래!"

이번에는 마리가 하기로 했다.

이 이야기는 장난전화를 좋아하는 아이가 겪은 이야기야. 그 아이는 김정현이라는 아이야. 그런데 정현이만의 장난전화를 하는 비법이 있었는데. 그건 바로 10원짜리 동전이 생기면 종종 공중전화기에 가서 아무 번호나 누르고 상대방한테 장난식으로 말하거나 보이스피싱 같은 말투를 하고 끊었어. 근데 또 정현이가 장난전화를 하려고 공중전화기에 갔는데 공중전화기가 없는 거야. 그래서 정현이는 장난전화에 실패를 했지. 근데 정현이는 포기하지 않고 다음날 또 공중전화기가 있나 없나 확인하려고 갔는데 이번에는 있는 거야. 그래서 정현이는 신난 마음에 빨리 장난전화를 했지. 정현이가 공중전화기에 들어간 순간 소름끼치는 느낌이 들었어. 그래도 정현이는 장난전화를 했지. 그런데 이번에는 아무 번호나 눌러도 전화가 안됐어. 정현이는 이상해서 엄마 번호를 눌러봤어. 그런데 전화기에서 아직 안갔네?. 하고 무서운 소리가 들려왔어. 그리고 정현이 뒤에서 검은 손이 정현이의 얼굴과 몸을 덮쳤어. 그리고 그 검은 손은 정현이를 공중전화기에 갇히게 했데.

"이번에는 좀 약하네. 크큭" "
이번에는 내 차례!"
"말 안한지 너무 오래됐어."
6번째 이야기는 주형이가 하기로 했다.

챕터6 화장실 귀신
이건 내 친구가 어제 겪었던 이야기야. 내 친구는 반에서 친구들과 공부를 할 때였어. 그때는 평소와 다르게 조금 새했어. 친구들하고 노는데 내 친구가 화장실을 가고 싶다고 했어. 그래서 친구들은 갔다 오라고 하고 놀고 있었어. 그리고 내 친구가 화장실을 가는데 이상한 소리가 들렸데. 하지만 내 친구는 겁이 하나도 없어서 그냥 무시했지. 볼일 다 보고 손 씻고 있는데 친구는 아무 생각 없이 거울을 보았어. 거울 속에 비친 친구 뒤에 어떤 이상한 물체가 있었데. 언뜻 보면 사람 같았데. 그리고 그 사람은 친구를 향해 오고 있는 것처럼 느껴져서 뒤를 봤어. 하지만 뒤에는 아무도 없어서 또 다시 거울을 봤는데 그 이상한 사람 얼굴이 거울 속에서 튀어나온 거야. 친구는 얼굴을 보자마자 기절했어. 그리고 나는 친구가 안 와서 화장실을 갔는데 기절한 친구를 발견했어. 친구는 충격이 컸는지 다른 친구들에게 화장실을 좀 같이 가 달라고 맨날 말해.

"그래도 크게 안 다쳐서 다행이네."

"이건 실화여서 더 무섭네."

"이번에는 누구지?"

"나!"

챕터7 빨간 옷 성림

이건 수영장에서 있었던 일이야. 성림이네 가족은 2박 3일로 수영장에 캠핑을 갔어. 성림이는 누나가 있었는데 누나랑 같이 수영장에서 놀고 있었어. 그런데 멀리서 눈에 띄는 빨간 옷을 입은 여자가 성림이를 쳐다보는 느낌이 들었어. 하지만 원래는 무서워서 수영장을 나오겠지만 누나가 있어서 계속 놀았어. 그런데 그 빨간 옷의 여자가 점점 가까이 오는 느낌이 들어서 성림이는 재빨리 뒤를 돌아봤는데 아무도 없었던 거야. 그래서 그냥 다시 놀고 있었어. 그리고 다음날 누나랑 수영장에서 놀고 있는데 누나가 화장실을 가고 성림이는 혼자 놀고 있었어. 어디선가 묘한 시선이 느껴져서 뒤를 봤는데 첫날에 봤던 빨간 옷을 입은 여자가 더 가까이에 있는 거야. 성림이는 너무 무서워서 그 여자가 안 보이는 척 했어. 하지만 그 여자가 눈치를 챘는지 점점 더 가까이 오는 느낌이 들었어. 그래서 또 뒤를 돌아봤는데 바로 엄마였어.

"이제 그만 잠에서 깨서 방학숙제 해야지. 내일이 개학이다."

쿠키사건

제5편 쿠키 사건

문다연, 이주람

등장인물 : 12살 여자아이 레몬, 엄마, 아빠, 언니, 여자동생 라임 (11살)

줄거리 : 어느날 쿠키가 사라졌다. 레몬과 라임은 기겁을 했다. 레몬은 '어떤 사람이 가져갔지?' 쿠키 먹은 사람은 라임과 레몬만 먹는데...그래서 레몬과 라임은 수사를 하기 시작했다.

"일단 언니부터 확인해 보자!"

레몬은 언니가 가장 수상하다며 언니방부터 보자고 했다.

"알겠어." 라임도 동의해서 언니가 학원에 가서 없을 때 언니방으로 갔다. 언니방에서 쿠키 조각 1개가 나왔다. 다음 방으로 일단 가봤다. 아빠는 일하러 가서 없고 엄마는 자고 있다. 그때 엄마, 아빠 방으로 갔다. 엄마, 아빠 방에도 쿠키 조각 2개가 나왔다. 하지만 우리가 찾고 있는 쿠키는 갈색인데 엄마, 아빠 방에 있는 쿠키는 핑크색이다. 엄마, 아빠는 아니라는 걸 알았다. 일단 우리 방으로 갔다.

"언니일 것 같아. 언니 방에서 갈색쿠키가 나왔어!" 레몬은 언니가 범인이라며 라임이에게 말했다.

"맞아, 언니일거야!"

"그때 언니는 쿠키를 먹지 않았는데..." 순간 생각이 났다.

"아! 우리가 다 먹었는데.."

사건은 이렇다. 레몬과 라임은 언니방에서 쿠키를 먹고 가버린 것이다.

1. 쿠키

레몬이 라임을 기다린다. 라임이 집으로 왔다.

"라임아 어서 쿠키를 먹자!"

"응. 알겠어."

쿠키 상자를 가져와서 반은 먹고 반은 상자에 넣었다. 다음날 쿠키는 사라졌다. 레몬과 라임은 깜짝 놀랐다.

레몬과 라임은 쿠키를 찾아보자며 눈빛으로 말했다.

"언니! 지금 쿠키를 찾고 있는 거야?" 레몬은 라임에게 물었다.

"응, 맞아 같이 찾아줄래?"

"응. 좋아."

"일단 언니방에 가서 찾아보자!"

"응. 언니."

언니 방에 가서 쿠키를 찾고 있었다. 핑크색 쿠키 1개가 나왔다. 놀란 레몬과 라임은 다음으로 부모님 방으로 가보았다. 엄마, 아빠방에도 쿠키 2조각이 나왔다. 우리가 찾고 있는 쿠키색은 갈색인데 엄마, 아빠방에 갈색쿠키와 핑크색쿠키가 나왔다. 레몬과 라임은 언니, 엄마, 아빠가 범인이라고 생각했다. 다시 한번 생각해 보았다.

"언니, 우리 방으로 가서 생각해 보자!"

"좋은 생각이야."

몇 분 동안 생각을 했다. 배가 고파서 약간의 과일을 먹고 있었다.

"언니는 쿠키를 싫어하고 특히 갈색쿠키를 싫어하는데..."

"언니는 갈색 쿠키를 싫어한다면서 언니방에도 갈색 쿠키가 없는 걸 보면 언니는 범인이 아닌 것 같아!"

"그러면 엄마, 아빠 중 1명이 아닐까? 아니면! 2명 일 수도 있고..."

2. 쿠키를 만들자!

레몬과 라임은 잃어버린 쿠키를 찾는 것도 중요하지만 아예 쿠키를 만들기로 했다.

"엄마한테 가서 쿠키를 만드는 비법이 있는지 물어보자!" 레몬이 말했다.

"만약 엄마가 범인인데 우리가 물어본다면 숨길 수 있잖아!!!"

"음...어떡하지?"

그때 엄마가 TV를 보고 있을 때 쿠키를 만드는 방법이 나오는 내용이었다.

TV에서는 갈색 쿠키 안에 10%로 비법서가 들어가 있습니다. 라며 쿠키만드는 방법에 대해서 방송하고 있었다. 그걸 들은 라임이는 "어! 그러면 이 방법으로 만들어볼까? 그러다가 엄마나 아빠가 볼 수도 있으니까 우리 만의 비밀장소를 찾아보자! 그다음에 만드는 거야. 어때?" 라고 의견을 냈다.

"좋은 생각이야. 우리집은 다락방이 있으니까 거기에서 만들까?"

"좋아."

쿠키상자를 열어보니 비법서가 있었다.

"비법서에 들어가는 재료를 사오자!"

"그래!"

마트에 도착하고 준비물을 사려고 할 때 엄마랑 마주쳤다.

"너희들 여기에 무슨 일로 왔어?"라며 놀란 눈으로 우리에게 엄마는 말을 걸었다.

"저희 아이스크림 사려고요! 하하하..." 라임이가 얼른 둘러댔다.

"맞아요!" 레몬도 맞장구를 쳤다.

3. 쿠키를 만드는 방법

"쿠키에는 달걀 2개 밀가루 400g이 필요해!. 그 다음 전자레인지에 30분에 구우면 된데. 오븐에 구우면 5분 이래, 하지만 우리는 오븐이 없어. 대신 전자레인지를 쓰자." 라임이는 간단하게 쿠키 만드는 방법을 읽고 레몬에게 하는 방법에 대해서 물었다.

"그래, 맞아 또 오븐을 쓰면 더~~바삭하데. 전자레인지는 더~~~~촉촉하고!"

"그러면 일단 전자레인지에 넣자!"

"그래."

30분이 지나고 쿠키냄새가 나기 시작했다.

'맛있는 냄새! 쿠키가 다 익었는데...' 라며 레몬과 라임은 신기해 했디.

"탔다...쿠키들이 다 탔어..이제 재료가 없는데.."

"마트에 있는데.."

"마트에 있는 것들이 이제는 다 없는데 우리가 1개 있는 것들만 샀잖아!"

레몬과 라임은 눈물이 나왔다. 그때 엄마가 와서 도와준다고 했다. 레몬, 라임의 쿠키를 만드는걸 싫어하시는 엄마가 도와준다고 하니 걱정이 되었다. 엄마가 탄 쿠키를 들고 왔다. "어머! 쿠키가 다 타버렸네."

"엄마! 그러니까요."

"어...쿠키를 만들다가 쿠키가 탔어요.."

"그런데요..재료가 더 이상 없어요!"

"거기에 들어가는 재료가 뭐니?"

"달걀 2개, 밀가루 400g이 필요해요."

"우리 집에 재료가 있어. 딸"

"진짜요!(다행이다)"

"그래ㅎㅎ 일단 달걀 2개를 까. 그 다음 조금 섞다가 밀가루 400g을 넣고 저어서 물을 넣고 섞어. 그 다음 냉장고에 1~2시간 있어야 해. 그러지 않으면 반죽이 타버려."

1시간 뒤...... 레몬과 라임은 엄마에게 1시간이 지났다고 말했다.

"어, 그래? 그러면 반죽을 꺼내고 반죽을 섞어. 그러면 반죽이 완성이야! 이제 무슨 쿠키 먹을 거니?"

"초코칩쿠키!!!!"

"그래. 그러면 초코칩을 넣어야 하는데...어? 얘들아 초코칩이 없는데 사올래?"

레몬과 라임은 마트에 가서 초코칩을 사왔다.

"사왔니?, 그러면 여기에 다가 다~~~부어줘. 그 다음 원모양으로 만들고 30분 동안 구우면 돼."

30분 뒤......

"자. 여기 있어."

레몬과 라임은 맛있게 먹었다. 그리고 몇 분이 지나지 않아 레몬과 라임은 쓰러졌고, 엄마는 119에 전화를 해서 응급실로 아이들을 옮겼다.

4. 병원에 갔다

삐용-삐용.

"너무 많이 먹어서 배탈이 났어요, 몇 일 동안은 병원에 있어야 해요,"

의사선생님의 말에 엄마는 당황하며 "얼마나 있어야 하나요?"라고 걱정스럽게 물어보았다.

"나 학교 못가? 엄마?"

"응, 몇일 동안은 못가."".

"흐아앙앙" 엄마의 말을 들은 레몬과 라임은 학교에 가지 못한다고 하니 너무 서러웠다. 이때 의사선생님이 약을 들고 들어오셨다.

"알약 3개 먹고, 약물 1개 먹어야해. 하루에 이걸 다 먹어야 해 알겠지? 그리고 링겔도 맞아야해. 조금 많이 두꺼워."

"흐아앙, 무서워 흐아앙!! 링겔까지 맞고.."

"엄마..배보다 링겔이 더 아파.."

"하하..그러니깐 적당히 먹어야지. 14일 있어아 해."

14일 지난 후 학교는 방학을 하였다.

5. 쿠키 만들기 재도전

"방학이니까 다시 한번 쿠키를 만들어 보는 건 어때?" 엄마가 물어본다.

레몬과 라임은 너무 좋아서 그렇게 하자고 했다.

"이제 쿠키를 만들어 볼까? 저번에는 엄마가 도와줬으니까 이제는 너희들이 만들어봐."

"다 만들었다!"

"빨리 먹어보자!"

"우웩! 맛없어...."

"언니 설탕 넣었어?"

"아니 너가 넣으라고 하지 그랬어..."

사실은 이러했다. 저번에도 이번에도 설탕을 넣지 않았다.

"다시 만들자...."

"이번에는 설탕을 넣었어...먹어보자!"

"이번에는 맛있어! 맛있다!"

"더 만들어서 가족들한테 나눠주자!" 엄마에게 제일 먼저 쿠키를 건넸다. 먹어본 엄마는

"음! 맛있네?"

6. 쿠키 팔아보기

"엄청 맛있는데 한번 팔아볼래?"

엄마의 제안에 당황했지만 레몬과 라임은 한번 해보기로 했다.

"쿠키를 예쁘게 포장하고 돗자리를 핀 다음에 파는 건 어때?"

라임의 말에 엄마도 레몬도 모두 좋다고 했다. 그리고 쿠키를 팔기 위해 시장으로 나갔다.

"쿠키 사가세요!" 레몬의 우렁찬 목소리에 손님이 찾아왔고, 시식을 했다.

"엄청 맛있네요! 1봉지에 몇 개가 들어 있나요?"

"5개씩입니다. 1봉지에 1,500원이예요."

손님은 빙그레 웃으며 2개를 달라고 했고, 그렇게 첫 쿠키가 팔렸다. 쿠키를 한창 신나게 팔고 있는데 아빠가 나타나 언제까지 팔거냐며 물어본다. 7시까지 팔겠다고 말했다.

다음 닐 레몬과 라임은 다시 쿠키를 팔고, 매일매일 쿠키를 팔게되었다. 그렇게 30만원을 모은 레몬과 라임은 마라탕이랑 꿔바로우를 먹기로 했고, 인생 네컷을 찍었다. 나중에는 쿠키전문점을 차릴계획을 세웠다.

7. 가게를 차렸어!

종류가 1개만 있으니 다른 쿠키도 만들기 시작했다. 바닐라 쿠키, 딸기맛 쿠키, 초코 쿠키, 오레오 쿠키 등을 만들었다. 하지만 사람들은 많이 오지 못했다. 그래서 마카롱, 머랭 쿠키 등도 함께 만들었다. 사람들이 많이 찾아오기 시작했고, 그렇게 10년이라는 세월이 지났다. 우리 가게는 맛집으로 전 세계에 소문이 돌기 시작했고, 나중에는 가게 분점을 차리게 되었다. 하지만 좋은 시간은 그때뿐 점점 가게 소문이 이상하게 나더니만 결국 가게를 접게 되었다. 그래도 다행인 것은 거짓 소문이라는 걸 알게 된 많은 사람들의 응원으로 다시 가게를 운영하게 되었고, 지금처럼 행복한 시간을 보내게 되었다.

소설책 쓰기

소설책 쓰기

재미있는 소설책 써볼까요?

이름 : 김서윤, 박예림

만수진

2 아침햇살

아 뭐라고 써

RB공화국이야기

제6편 소설책 쓰기

1. 주제잡기와 목차

내 이름은 김서은이다. 우리 RB반의 동아리는 소설책 쓰기이다. 그래서 우리는 매주 금요일마다 소설책을 쓴다. 드디어 기다리던 금요일이 되었다. 나는 혼자 무엇을 쓸까 생각하던 중이었는데 때마침 예림이와 수진이가 나에게 와서 말했다.

"서은아 우리랑 같이 소설책 쓸래?"

나는 속으로 매우 기뻤지만 속으로 티 안 내고 말했다.

"그래! 근데 주제는?"

예림이와 수진이는 아까부터 계속 고민하던 것을 보면 주제가 아직 정해지지 않았다고 생각들었다. 그때 예림이가 아이디어가 떠올랐다며 우리에게 말했다.

"우리 RB 반에 대해 써보는 건 어떨까?", "좋아!"

나와 수진이가 웃으며 답했다. 근데 문제는 주제 잡기가 아니었다. 두번째 관문이 시작되었다. 소설책 쓰기를 시작한 게 학기 초인 터라 챕터 1에 어떤 이야기를 넣어야 할지 갈피를 잡을 수 없었다.

그때 수진이가 말했다.

"우선 우리 반을 잘 소개할 수 있고 글로 만들어져있는 건국신화를 쓰는건 어떨까?"

그렇게 우리는 건국신화를 챕터 1에 넣기로 하면서 우리는 순조롭게 이야기를 만들어 나갔다.

2. 다시의 연속

"이제 새로운 관문을 통과할 때가 됐어!" 내가 말했다

."두 번째 이야기를 써야 하는데"

예림이가 걱정되는 표정으로 말했다. 우리는 계속 헤매고 있었다. 생각하고 생각하다 내가 말했다.

"우선 우리 반만 하는 활동인 아침햇살을 주제로 하는 건 어때?"

"좋아!" 수진이와 예림이는 웃으며 답했다.

우리는 다른 친구들이 소설책쓰기를 왜 어려워하고, 싫어하는지 이해하지 못했었다.

근데 우리에게도 그 어려움이 온 것 같다!!! 우리의 일상을 이야기로 쓰려니...다들 이런 일상이야기는 아이디어가 많이 없다는 걸 알 것이다.

"어떡하지?" 수진이가 말했다

"이 주제로는 못 쓰겠어. 그냥 다른 주제로 쓰는 건 어때?" 나는 포기하려고 했다.

"근데 나는 이 주제가 좋은데?" 예림이가 말했다.

"하지만 이 이야기로는 도저히 쓰기 힘들어" 내가 말했다.

그러자 예림이가 한숨을 쉬며 말했다. "하... 그냥 나 혼자 할게."

당황한 나와 수진이는 예림이를 설득해 보았다.

"이거 어려운 거 다 알잖아, 근데 이렇게 벌써 포기할 거야?"

예림이의 문은 굳게 닫혀있진 않았는지, 얘기할 때마다 조금씩 설득되어 가는 표정이었다.

그때 예림이가 말했다. "알겠어. 그냥 이야기를 좀 바꾸어 보자."

나랑 수진이는 안심이 되어 말했다. "이번에는 더 열심히 해보자!"

일주일이 지난 후 그렇게 기다리던 금요일이 왔다. 우리는 다시 새로운 주제를 생각했다.

"감옥 탈출이라는 소설 어때? 억울하게 감옥에 들어가서 누명을 벗고 다시 빠져나오는 그런 이야기!"

모두가 고민하고 고민하던 도중 수진이가 말했다.

그러자 예림이와 나는 답했다.

"괜찮을 것 같아 우선 시작해 보자!!"

이번에 우리는 새로운 방법으로 소설 쓰기를 하려 했다.

"우선 첫 배경은 학교, 학교에서 시작하는 거야" 예림이가 웃으며 말했다.

"그러면 등장인물은 경찰 2명 정도 그리고 주인공과 친구들, 진짜 범인 어때?" 수진이가 말했다.

우선 그렇게 이야기로 써보려 했다. 하지만...역시나 쉽게 되지 않았다.

"우선 줄거리부터 생각해 보는 게 어때?" 내가 말했다.

하지만 줄거리조차도 쉽게 만들어지지 않았다.

"그러면 등장인물 이름이라도 먼저 정해 볼까?" 수진이가 한숨을 쉬며 말했다.

어떤 이름을 붙여도 어울리지 않는 것 같았다.

그렇게 한참을 헤매다가, 어쩔 수 없이 우리는 감옥 탈출이라는 주제를 포기해야 했다.

그 대신 서영이와 도연이가 같은 주제로 더 멋진 소설을 쓰는 것 같았다. 그렇게 우리는 다시 주제를 생각했다. 그때 수진이가 말했다.

"조금은 힘들더라도 처음에 쓰려고 했던 RB 공화국 이야기를 쓰는 건 어때?" 수진이가 말했다.

"그래야 할 것 같아…" 나와 예림이가 답했다.

그렇게 우리는 목차부터 천천히 다시 정했다,

우리가 만든 소설의 목차는

'1. RB 공화국 건국신화

2. 아침햇살

3. 플리마켓

4. 영화동아리' 다.

우리는 그렇게 생각하고, 상의하고, 또 생각하고 상의하며, 소설책을 만들어 갔다

3. 소설책 쓰기의 마지막 과정

그렇게 다시의 연속이 있고 난 뒤 우리는 많은 친구들이 글을 완성했을 때 우리는 거우 수정에 들어왔다.

"10분밖에 남지 않았어. 우리가 글을 쓰는데에 많은 시간을 소비해서 10분밖에 안 남았는데...어떡하지??"

예림이가 걱정되는 표정으로 말했다.

"우리가 글을 쓸 때 수정하려고, 남겨둔 부분이 많아서...10분으론 턱 없이 부족할 것 같아"

수진이가 한숨을 쉬며 말했다.

우리는 점점 더 마음이 급해졌고, 시계는 쉼없이 달리고 있었다.

"틀린 부분을 찾는데 만 7분을 썼어, 3분밖에 남지 않았는데 어떡하지?" 내가 말했다.

마음이 급해진 우리는 1챕터 씩 맡아 수정을 하기로 했다.

그때! 선생님께서 쉬는 시간 10분을 더 써도 된다고 하셨다.

우리는 13분간 글 수정할 수 있었다.

(그 다음주 금요일)

"애들아. 오늘은 컴퓨터실에 가서 지금까지 쓴 소설을 타이핑 할 거야." 선생님께서 안내하셨다. 친구들 몇 명은 컴퓨터실에 와서 기뻐했다. 그리고 컴퓨터실에 와서 싫어하는 친구들도 있었다. 컴퓨터실에 온 것을 좋아하지 않는 그 친구들 중 나와 수진이도 포함되어 있었다. 싫어하는 친구들의 공통점은 타자속도가 느리다는 점이었다. 하지만 예림이는 1학년 때부터 계속 컴퓨터 방과후를 다녀서,

자격증도 몇 개 있기 때문에 우리는 예림이만 믿고 컴퓨터실에 들어갔다. 그리고 예림이는 10분도 안되어 금방 1챕터를 완성했다. 그렇게 나와 수진이는 느린 속도로도 아주 열심히 타이핑을 하고 예림이는 빠른 속도로 타이핑을 해서 40분 안에 끝낼 수 있었다. 타이핑은 지금까지 한 소설책 쓰기 작업 중 제시간 안에 가장 완벽하게 끝낸 작업이 되었다. 그렇게! 소설책 쓰기가 마무리 되었다.

"드디어 소설 쓰기가 끝났어! 이제야 마음이 후련한 것 같아." 내가 말했다.

"맞아!" 예림이와 수진이는 고개를 끄덕이며 대답했다.

그리고, 우리의 소설책이 곧 나온다.

4. 우리들의 이야기 우리가 만든 소설책

"우리 반 친구들이 만든 소설책이 곧 나올 거예요."

선생님께서 말씀하셨다.

우리는 그렇게 페들렛에 들어가서 다른 친구들의 이야기를 둘러 보았다.

"얘들아 지혜의 '골목길' 부터 볼래?" 수진이가 말했다.

"좋아!" 나와 예림이가 답했다.

지혜의 소설을 보던 예림이는 이렇게 말했다.

"지혜의 '골목길'은 진짜 작가가 쓴 이야기처럼 조금은 어렵지만 굉장히 멋진 이야기인 것 같아."

예림이의 말을 들은 수진이와 나는 고개를 끄덕였다.

그 다음은 도연, 서영이의 '감옥탈출' 이라는 이야기를 보았다.

"도연이와 서영이의 이야기는 되게 흥미진진한데! 그리고 재미있어!!" 내가 말했다.

　우리는 도연이와 서영이의 이야기를 집중해서 보았다.

　"이번에는 하은이랑 세라의 '무서운 이야기 동아리' 라는 이야기 보자!" 예림이가 말했다.

　"하은이와 세라의 이야기는 무섭고 스릴이 있어!" 수진이가 웃으며 말했다.

　다음은 다연이와 주람이의 '쿠키사건'을 읽었다.

　"쿠키가 사라졌는데, 마지막 결말이 너무 재미있어." 내가 말했다.

　"종휘와 아라는 '전학온 아이'라는 소설을 썼어." 수진이가 말했다 아라는 종휘가 전학 가서 빈자리가 있어도 이야기를 아주 잘 썼다.

　마지막으로 우리는 삼식이의 학교생활을 읽었다.

전학 온 아이

제7편 전학 온 아이

프롤로그

4학년 때 책을 만든 태양이는 자신감이 넘쳐났습니다. 그래서 태양이는 5학년이 되어 여러 가지 일들을 해보았습니다. 학급 임원 선거도 해보고 친구들 이름과 번호 외우기를 시도했습니다. 그리하여 부회장도 되고 친구들의 이름과 번호를 외우게 되었습니다. 그리고 4학년 때 친구의 도움으로 책을 만든 태양이는 이번엔 혼자서 책을 써 보기로 했습니다.

하지만 5학년 1학기가 끝나기 일주일 전에 전학을 가게 되었습니다.

챕터1 : 아라관점 - 전학온 아이

오늘은 학교에 가니 전학생이 온다는 소식을 들었다. 어떤 친구가 전학 올지 기대된다.

그런데 수업 시간 시작 1분전까지 아무도 오지 않아서 전학생이 안 오는 줄 알았다.

그때! "안녕하세요!" 그 아이가 왔다. 그 아이는 활발해 보였다.

선생님께서 그 아이에게 자기소개를 부탁했다.

"안녕하세요. 제 이름은 박태양 입니다. 전학 오기 전 학교는 □□초등학교에서 왔어요. 그리고 여기 오기 전에 자기소개를 어떻게 할지 고민했어요. 그냥 이렇게 하는 게 더 나은 것 같네요." 그렇게 태양이는 자기소개를 끝냈다. 태양이는 고민이라고 불리는 것이 익숙한 것 같았다. 오늘이 7월 1일이어서 자리를 바꾸는 날이었다. 친구들의 불만이 많아졌다.

"아 나 얘랑 짝하기 싫은데!" 같은 소리가 들려오던 것이다.

나는 다행히도 새로 전학 온 태양이랑 짝이었다.

챕터2 태양이관점 - 전학와서

전학을 와서 아무도 말을 걸지 않을 줄 알았는데 다행히도 친구들은 "전학 오기 전의 반의 이름이 뭐였냐?" 하고 물어 보기도 하고 "취미가 뭐니?" 라고 물어 보기도 했다. 그리고 대답했던 걸 다시 물어보는 친구도 있었다. 물어볼 때마다 나는 "지구반" 이라고 하고 "책읽기" 라고 짧게 대답했다. 그리고 했던 대답은 다시 하지 않았다. 친구들이 나를 귀찮게 하지만 괜찮다. 왜냐하면 이 기회로 친구들을 사귈 수 있을 것이기 때문이다. 그런데 대답하기 귀찮다... 수업 시간에 오자마자 자리를 바꾸느라 힘들었다. 늦게 출발하고 뛰어 오지 말걸

"다음 수업이 뭐지?"

"다음 수업은 국어잖아."

"그렇구나. 그럼 준비해야지, 알려줘서 고마워"

챕터3 아라관점 - 태양이와의 첫 대화

"새로온 친구인데 이 정도 쯤이야 뭐 잘 지내 보자."

"그래, 친구 사귈 수 있겠지?"

"사귈 수 있을꺼야."

한동안 어색한 기운이 감돌았다.

"......", "수업 시작한다."

잠시 뒤...

"야, 보드게임 하자!"

쉬는 시간이 시작되자 바로 시끄러워졌다. 친구들은 다시 태양이에게 질문을 하기 시작했다.

"저기 너의 꿈이 뭐니?"

"내 꿈은 작가 그리고 화가"

"니 꿈이 작가, 화가였니?"

"와 멋지다."

"우리 반에는 작가나 화가 같은 꿈은 없었는데"

"그래?"

'여기에 작가나 화가를 꿈꾸는 친구가 없다니.'

"그럼 네가 쓴 책이 있니?"

"있어! 1권..."

태양이가 들뜬 목소리로 말했다.

"친구랑 전학 오기 전에 쓴 거야. 지금 쓰고 있는 것도 있어. 근데 쓰는 거 정말 힘들어. 지금 쓰는 것도 거의 못 썼어. " 그리고 쉬는 시간이 끝났다.

챕터4 태양이 관점 - 친구들

잠시 뒤 쉬는 시간이 시작되었다. 그리고 나는 갑자기 친구들에게 물었다.

"너희들의 장래희망은 뭐야?"

"나는 축구선수"

"나는 야구선수"

"나는 돈 많은 백수"

"나는 크리에이터"

"난 양궁 선수"

"난 프로 게이머"

"나는 치킨집 사장님"

"난 선생님 되고 싶어."

"그런데 그건 왜 물어 봤어?"

"그냥 궁금해서 물어봤어."

친구들이 궁금증을 모두 해결했나 보다.

갑자기 아라가 말을 걸었다.

"너가 책을 쓰고 있다고 했지? 나랑 같이 쓸래?"

"좋아. 책 제목은 《우리들의 특별한 5학년 생활》로 하자. 그리고 전체 내용은 우리 반에 일어날 일들을 쓰자."

"좋아."

다행히도 아라도 내 아이디어에 찬성했다.

1명이 쓰는 것하고 2명이 쓰는 것하고 별 차이는 안 났다. 그래도 1명 보단 났다.

챕터5 아라관점 - 함께

내가 태양이와 함께 책을 만들기 시작한지 5주일이 지났다. 일어나지 않은 일을 생각해 내는 것은 정말 어렵다. 하지만 꽤나 괜찮은 책을 만들 수 있었다. 그리고 태양이가 전화번호를 물어 보았다. 하지만 전화번호를 쓸 일이 없었다. 원래 태양이가 책을 쓸 때 대화하면서 쓰기 위해서 인데 집이 가까워서 카톡으로 대화 할 필요가 없다. 현관문만 열면 바로 앞이 태양이네 집이었다. 그래서 그냥 놀러 가서 같이 쓰기로 했다. 태양이네 집에 갔더니 태양이가 쓸 공책을 준비해 놓았다. 그 공책을 보니 우리가 쓴 내용이 있었다. 그런데 태양이는 울고 있었다.

챕터6 태양이관점 - 책 완성!

"왜 우니?", "전학 오기전의 친구들이 생각나서 그래..."

"그냥 책이나 쓰자."

요즘 전학 오기전의 친구들이 생각난다.

"이런 내용을 추가하자."

내가 울보가 되기 싫어서 말을 돌렸다.

"잠깐만 여기 맞춤법 틀렸어."

"아...이런 내가 딴생각을 하면서 써서 그렇다. 여기 오기 전에 친구들이랑 같이 놀고 싶다는 생각을 했거든."

"이제 이야기를 끝내자." 아라가 말했다.

"그래 이 정도면 다 된 것 같아. 이제 이건 책으로 바꾸자."

책만들기를 끝냈다.

챕터7 아라관점 - 2학기의 시작

나와 태양이는 여름방학에 《우리들의 특별한 5학년 생활》 책을 완성했다. 오늘 학교에 오니 자리가 바뀌고 교과서도 바뀌었다. 학교에 오랜만에 오니 피곤하고 힘들기도 하지만 기분이 좋다. 수업 시작을 알리는 종소리가 들렸다. 오늘은 2학기에 무엇을 할지 정했다. 우리 반은 이런 저런 이야기를 나누었다. 이제 쉬는 시간이다. 아이들은 오랜만에 만나 반가웠는지 평소보다 더 시끄러운 우리 반이 되었다. 나는 태양이한테 갔다.

"오늘 집에 같이 갈래?"라고 물었다. 태양이는 "좋아"라고 하였다.

이제 하교시간! 아이들은 금방 선생님께 인사하고 하교하였다. 나와 태양이도 집으로 왔다.

챕터8 태양이관점 - 운동회

1주일 후면 운동회다. 오늘은 운동회에 무엇을 할건지 간단하게 안내하고 팀을 정했다. 팀은 홍팀 VS 청팀이다. 나는 홍팀인데 나와 친한 친구들 모두 청팀이다? 아니 이게 뭐지...

내일이 운동회다. 오늘은 정확한 규칙을 안내하였다. 계주는 어떻게 하고 이건 어떻게 하고 저건 어떻게 하는지 안내하였다.

드디어 운동회 날이다!!! 친한 친구들이 다 다른 팀이여서 아쉽지만 어쩔 수 없기 때문에 재밌게 하기로 마음먹었다. 5학년 모두가 열심히 응원하고 참여하였다. 이제 운동회가 끝났다. 이긴 팀은 바로 홍팀이다!!! 우리 팀이 이겨서 좋다. 청팀 아이들은 아쉬움이 가득한 일굴이었다.

챕터 9 아라관점 - 우리 집에 온 태양이

다음날 학교. 나는 교실 문을 열고 교실로 들어갔다. 들어가서 나는 태양이 자리 옆에 앉았다.

"우리 오늘 놀래?" 라고 물어봤다.

그랬더니 태양이가 "응"이라고 했다.

그래서 "우리 뭐하지?" 라고 했더니 밖에서 놀기, 집에서 놀기. 둘 중 하나를 고르라고 하였다.

나는 그래서 "우리 집에서 놀래?" 라고 했더니

"응..그래!" 라고 대답했다.

학교가 끝났다. 태양이는 우리 집에 들어갔다. 태양이와 나는 내 방으로 들어갔다.

태양이는 들어가서 나한테 이렇게 물었다. "너, 피아노 학원다녀?"

나는 그래서 "응"이라고 대답했다.

그랬더니 태양이가 "잘 쳐?" 라고 물었다.

나는 "조금..."이라고 했다. 태양이는 "그렇구나"라고 했다.

우리는 한동안 말이 없었다. 그리고 몇분 후 태양이가 물었다.

"뭐하는 거야?"

나는 "간식먹을까?" 라고 했더니 태양이가 "응"이라고 해서 과자를 꺼냈다.

과자를 먹으며 "핸드폰 게임할래?" 라고 물었더니 "응"이라고 했다.

그래서 과자를 먹으며 핸드폰 게임도 했더니 태양이가 "나 이제 갈께!" 라고 했다.

그래서 "안녕!" 이라고 했다.

챕터 10 태양이관점 - 아라 집에 갔다.

오늘 학교가 끝나고 아라 집에 놀러 갔다. 아라 집에 놀러 가기 전엔 '아라 집은 어떻게 생겼을까?' 라는 생각이 들었다. 드디어 궁금했던 아라 집에 들어갔다. 나는 이 생각이 들었다. '오! 아라 집을 이렇게 생겼구나' 아라가 "내 방으로 가자!" 라고 해서 들어 갔다. 아라 방엔 피아노가 있었다. 우리는 한동안 피아노 이야기를 하고 말이 없어서 내가 뭐 할거냐고 물어봤다. 그랬더니 아라는 계속 이야기를 했다. 그렇게 시간이 다 돼서 "나 이제 갈게"라고 하고 아라 집에서 나왔다.

챕터 11 아라관점 - 몇 달 후

이제 나무들이 빨간색, 노란색 잎으로 변했다. 그리고 벌써 태양이가 전학 온 지 몇 달이 지났다. 또 겨울방학도 얼마 안남았다. 그렇게 있었는데 태양이가 왔다.

태양이는 "뭐해?" 라고 했다.

나는 "창문보고 있어."

태양이는 "아! 그렇구나."라고 하고 다른 친구들한테 갔다. 그 짧은 대화를 했는데 쉬는 시간이 끝났다. 그리고 오늘은 학교 끝나고 우리 반 친구들 몇 명과 운동장에서 놀고 있었다. 태양이가 "같이 놀 수 있을까?" 라고 물어봐서 나와 친구들이 허락하고 태양이와 친구들과 놀고 집에 갔다.

챕터 12 5학년의 끝

　오늘은 방학식이자 종업식이다. 오늘 우리 반 아이들은 친한 친구들과 같은 반일지 걱정되는 표정이었다. 그때 선생님이 친구들에게 통지료를 주었다. 친구들이 종업식이 끝나고 "너 몇 반임?", "나? 가반!", "아.. 떨어졌다." 이러는 친구들이 정말 많았다. 나는 태양이한테 가서 "태양아. 몇 반이야?" 라고 물었더니 "나는 나반이야! 너는?", "나도 나반!", "오. 우리 같은 반이네.", "내년에도 잘 지내자!", "안녕!" 우리의 5학년 생활은 이렇게 끝났다.

제8편 삼식이의 학교생활

박경모, 이혜주, 홍석찬

등장인물 : 삼식이, 홍삼, 인삼, 도라지쌤, 녹차, 녹차 동생

줄거리 : 홍삼이, 삼식이, 인삼이가 친구가 되어서 놀고 있었는데 어떤 한 친구가 전학을 왔다. 인삼이가 다가가서 이름을 물어봤다. 차 모여 있는 학교에서 온 녹차라고 말했다. 그런데!

챕터 1 상식이 친구

어느 날...삼식이라는 얘가 있었다. 그런데 그 삼식이는 야채들이 모여 있는 학교로 전학을 갔어. 거기에는 홍삼이, 인삼이, 도라지쌤이 있었는데 삼식이는 홍삼이, 인삼이와 친구가 되고 싶어했어. 그런데 삼식이는 친구를 사귀는 법을 몰라서 걱정을 했지. 삼식이는 용기를 내서 도라지쌤을 찾아가 친구를 사귀는 법을 알려달라고 했어. 도라지쌤이 말씀하셨어.

"첫 번째는 친구에게 친하게 말을 걸어봐. 두 번째는 이름 물어보기, 세 번째는 '같이놀래'라고 말해. 그러면 홍삼이, 인삼이가 같이 놀거야~."

삼식이가 말했다. "아..네! 알겠어요. 한번 해볼께요."

"홍삼이, 인삼이와 함께 잘 지내렴"

"네!"

삼식이는 홍삼이와 인삼이가 있는 곳으로 갔어.

삼식이가 말했다.

"너희 이름이 뭐야?"

홍삼이와 인삼이가 말했다.

"내 이름은 홍삼이야."

"나는 인삼이야."

삼식이가 "아..내 이름은 삼식이야!"

"우리 같이 놀래?" 홍삼이와 인삼이가 말했다.

"음..그래!",

"우리 그럼 뭐하고 놀래?"

"우리집에 갈래?",

"우리집에서 블록가지고 놀자!"

"그래! 빨리가자!"

인삼이 집에 도착했다. "여기가 우리 집이야", 인삼이 엄마가 물어봤다. "어? 너는 누구니?" "네? 아..저는 삼식이라고 해요 저는 오늘 전학왔어요."

"아.. 그럼 집안으로 들어와서 놀래?"

"네!!" 집으로 들어갔다.

"우리 블록놀이하자."

"응" 저녁이 되었다. 삼식이, 홍삼이는 집으로 갔나. 삼식이가 엄마에게 말했다.

"엄마 오늘 인삼이 집에 갔는데 인삼이 엄마가 있어서 내가 이름을 알려줬어요"

"아..그래 내일도 재밌게 놀으렴"

"네!"

챕터 2 다음날 무슨 일이??

다음날.. 홍삼이, 삼식이, 인삼이가 친구가 되어서 놀고 있는데 어떤 한 친구가 전학을 왔다.

인삼이가 다가가서 이름을 물어봤다. 차 모여 있는 학교에서 온 녹차라고 말했다.

그런데! 도라지샘이 녹차하고는 놀지 말라고 하셨다.

삼식이가 물어보았다. "왜? 같이 놀면 안돼요?"

도라지샘이 말했어. "녹차는 차들이 모여 있는 학교에서 학폭 때문에 강제전학을 온거야! 그러니깐 같니 놀지마!" 그런데 삼식이는 녹차에게 다가가 우리 친구할래? 라고 물어보았다. 녹차는 좋다고 말했다. 그 다음 날 녹차가 삼식이에게 '돈 안가져오면 때릴거야!' 라고 말해서 삼식이는 돈을 훔치다 엄마에게 들키고 말았어. 삼식이는 녹차하고는 "이제는 너하고 놀면 안될 것 같아..미안해..."

녹차는 삼식이, 홍삼이, 인삼이한테 말했어. "내일 우리집와서 놀래?" 라고 물어봤다.

삼식이, 홍삼이, 인삼이는 마지못해 "그래" 라고 말했다.

다음날! 삼식이, 홍삼이, 인삼이가 같이 녹차네 집으로 갔다. 녹차네 동생이 "녹차형은 장애인이야. 그러니까 내 형아하고 같이 지내줘" 삼식이, 홍삼이, 인삼이는 다 놀고 집에 가서 엄마께 "엄마! 녹차는 장애가 있어서 폭력을 한 거래요. 장애가 있으니까 같이 친구가 되어서 폭력을 안하고 사이좋게 지낼 수 있도록 친구가 되고 싶어요."

엄마가 말하셨다. "삼식아. 너가 그렇게 원한다면 친구가 되어 녹차와 사이좋게 지내보렴~" 삼식이는 기분이 좋아 내일이 빨리오면 좋겠다고 생각했다.

그 다음날!

삼식이, 인삼이, 홍삼이가 녹차네 집 앞에서 녹차가 나올 때까지 기다린 끝에 녹차가 나와서 같이 학교로 출발했다. 홍삼이가 말했다. "녹차야.. 우리 다 같이 친구할래?"

녹차가 말했다. "음..싫어! 내가 너네하고 놀면 도라지샘이 싫어할거야."

인삼이가 말했다. "녹차야..내가 널 도와주고 싶어서 그런건데 너가 싫다면 어쩔 수 없지..." 삼식이가 말했다. "녹차야 도라지샘이 뭐라고 하면 내가 도라지샘에게 잘 말할게~ 그러니까! 우리 친구하자! 난 너가 우리의 친구가 되면 좋겠어~", "음.. 그래!"

"내가 혹시 때리면 '때리면 안되'라고 말해줘~",

"음 알겠어", "우리가 너와 함께 지낼게~"

챕터 3 일진이 우리를?!?!

일주일 후 홍삼이가 다쳐서 왔다. "아!..아야." 삼식이, 인삼이, 녹차는 홍삼이에게 왜 다쳤냐고 물어봤다. "왜? 다쳤어?" 홍삼이가 말했다. "어..6학년 형들이 괴롭혔어. 아아야.."

삼식이가 말했다. "난 너의 친구니까 도와줄께!"

오늘 밤 밤 9시에 삼식이가 학교정문으로 모이라고 했다. 문자를 보냈다. 10분후.. 답장은 오지 않았다. 그래서 어쩔 수 없이 혼자갔다. 그런데!! 일진들이 삼식이를 납치했다. 일진들은 삼식이의 주머니를 보았다. 그런데 돈이 있어서 훔쳐갔다. 그리고 삼식이를 혼자 있게 하고 도망갔다. 다음날..아침 삼식이 엄마가 삼식이를 깨우러 갔는데! 삼식이가 없어서 경찰서에 전화를 했다. '따르릉 따르릉' "여보세요? 저 00동에 사는 삼식이 엄만데요. 저의 아이가 사라져서 찾아주세요. 제발요~" "네. 저 000경찰인데요. 저희가 잘 찾아보겠습니다. 진정하시고 안전하게 있으세요.", "네 알겠습니다."

모두 출동!' 삐뽀 삐뽀' 몇 분후..

"여기 계세요?",

"네!",

"마지막으로 어디서 보셨어요?",

"음.. 어제 저녁먹을 때가 마지막이에요",

"아..그렇군요"

"자! 그럼 모두 이 동네를 돌도록!"

경찰이 "괜찮을 거예요"

인삼이가 놀러왔다.

"어? 왜 경찰이 있지? 삼식이엄마 왜 경찰이 있어요? 그리고 삼식이는 요?"

"삼식이가 사라졌어.."

"헉! 괜.찮.을.거예요..흐어엉"

경찰관이 들어왔다. "어머니 아드님은 학교 옥상에 있었어요."

"찾아주셔서 감사합니다."

그 다음날 심식이 집에 인삼이, 녹차, 홍삼이가 놀러 왔다.

"삼식아 놀자!"

"아니.. 지금은 놀고 싶지 않아.."

"알겠어"

"내일 학교에서 보자 안녕!"

"어"

챕터4 학교에서 무슨 일이?!?!

그 다음 날! 두둥

해외로 출장을 갔었던 아빠가 드디어 돌아오셨다. 삼식이는 신이 나 아빠를 안았다. 아빠는 삼식이를 못 알아봤다. 왜냐하면 아빠가 삼식이 어릴 때만 보고는 안 봐서 그런 것이었다. 삼식이는 엄마에게 물어보았다 "엄마, 아빠는 날 왜 못 알아봐요?"

"어..아빠가 너를 많이 못 봐서야. 그래도 네가 아빠에게 '제가 삼식이에요.'라고 말해보렴~", "네" 아빠에게 다가갔다.

"아빠 제가 삼식이에요."

"아..우리 아들 아빠가 못 알아봐서 미안해"

"네 괜찮아요. 아빠가 날 오랜만에 봐서 그런거 잖아요."

"아빠가 미안해서 아들이 좋아하는 장난감 사줄게"

"아빠 감사합니다." 삼식이랑 아빠가 백화점으로 출발했습니다.

30분 후.. "와 엄청 좋다." 3층에서 아빠와 삼식이가 내렸다.

"아들아 내리렴"

"아빠 나 이거 도미노 갖고싶어요. 아.. 그리고 저 자동차도 갖고 싶어요.."

"그래 사고 싶은거 다 사 알겠지?"

아빠는 부자여서 장난감을 사주려는 거였다.

"아빠 정말 다 사도 되요?"

"그럼 당연히 되지. 그리고 내일 이 동네에 있는 좋은 집으로 이사갈거야"

"네 그런데! 아빠 나 키즈카페 가고 싶어요."

"그래 아들이 가고 싶다고 하니까! 그래 한 번 가보자!"

"출발" 키즈카페에 도착했다.

챕터5 해외여행

다음 날! 두둥

"여보, 삼식아 빨리 일어나 오늘 해외여행 가는 날이잖아"

"네? 오늘 간다고요? 아빠?"

"어 오늘 갈 거야. 빨리 준비해"

"아..네" 공항으로 출발

"하..언제 도착해요?"

"어?", "30분만 기다려" 30분후

"이제 내리자", "네!"

"어? 여보 이러다가 비행기 가겠어요."

지금부터 비행기 입장하겠습니다.

1번은 배트남 2번은 일본 3번은 중국이 되겠습니다.

"여보 우리는 1번이에요. 빨리 갑시다."

"어 빨리 가자!", "와~ 왜 이렇게 넓어요?"

"어 이 비행기는 비싼 비행기라서 넓은 거야."

"아 그래요?", "와 올라간다." 위이이잉 위이이잉이잉잉

"와 정말 많이 올라간다.", "아빠 배고파요."

"그래? 그럼 뭐 먹고 싶어?"

"음 우동먹고 싶어요. 그리고 돈까스도요."

"여보는 요?", "저는 국수먹고 싶어요.", "저기요."

"네? 뭐 필요하신거 있으세요?",

"네 돈까스하고 우동하고 국수 주세요.", "네", 10분후

"네 여기습니다.", "네"

"삼식아 여보 맛있게 드세요."

"잘먹겠습니다.", "아..배불러 아빠 저 자도 돼요?"

"응 그래 도착하면 깨워줄게.", "네 함.."

"여보 저도 좀 잘게요."

"응 깨워줄게.", "네"

3시간후

"여보 삼식아 일어나요. 도착했어요."

삼식이 공기 좋고 날씨 좋고 너무 신이났다.

"엄마 오늘 삼식이 재미있게 놀면 좋겠다. ㅎㅎ 엄마, 우리 이제 팬션가요."

"그래. 우리 가서 짐 풀고 밥먹고 놀자."

"여보. 우리 낚시하는 거 어때요?", "좋아요."

짐을 다 정리할 때까지 기다린 삼식이가 "엄마 이제 낚시대 챙기고 가요. 엄마, 아빠 차 타고 가는 거죠?"

"응. 좀 걸릴거란다. 괜찮겠지. 오늘 아빠가 물고기 큰 거 잡아 줄게."

"훗! 여보 멋진 척은." 드디어 도착했다.

"이제 짐 풀고 낚시하자."

낚시는 생각보다 어려웠다. 삼식이는 쉬운 줄 알고 시작했는데 너무 어려워 아빠에게 도움을 요청했다. "네, 아빠가 하라는 데로 하니깐 더 잘되요."

신나게 잡은 후 우리는 펜션으로 갔다. 삼식이는 펜션에서 홍삼이, 인삼이, 녹차를 만났다. 알고 보니 모두가 함께 할 수 있도록 아빠가 준비한 서프라이즈였다. 우린 이렇게 우정을 다시 키울 수 있게 되었다. 다음 날은 월척이 되었으면 좋겠다.

김지성의 이야기

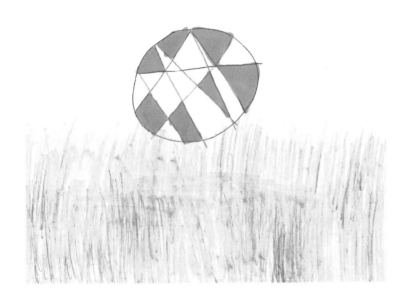

제9편 김지성의 이야기

지유

평화로운 대한민국에 김지성이라는 소년이 태어났다. 김지성은 어렸을때부터 운동신경이 뛰어난 아이였다. 김지성의 부모님도 운동을 좋아하셨고, 김지성도 운동을 좋아했다. 김지성이 특히 좋아하는 스포츠는 축구였다. 김지성이 8살이 되던 해 MB취미반에 들어가 열심히 축구를 배우기 시작한다.

2년이 지나 김지성이 10살이 되었다. 이젠 MB선수반으로 들어가 선수반 또래 친구들과 열심히 축구를 하게 된다. 선수반에 가자 코치님이 있었다. 우리를 가르쳐 줄 것이다. 선수반에서 축구를 한 게 2개월이 지나 감독님께서 스토브리그하는 리그를 잡게 된다. 스토브리그는 8명이 경기를 뛰게 되고 3학년에서 4학년이 나가게 된다. 3학년이 4학년 경기를 뛴다. 아직 우리는 경기에 대한 경험이 없지만 김지성 만큼은 달랐다. 첫 경기는 율전이라는 팀과 경기를 한다. 이번에는 3학년만 뛴다. 골키퍼는 정현두, 오른쪽 사이드는 건우 왼쪽은 지후 염, 미드필더는 이채비와 최잼민, 포어드는 김지성이 맡았다. 율전경기에서 김지성 2골 최잼민 1골로 3-2가 된다. 코치님은 모두가 잘했다고 칭찬하였다. 김지성이라는 아이가 잘한다는 소식을 들었던 감독님은 김지성을 더 알고 싶었다. 다음날 또 다른 경기가 있었다. 다음 경기 팀은 월드컵이라는 팀이었고 마지막 경기였다. 월드컵은 잘하는 팀이었다. 경기 시작 후 김지성은 시저스 팬팀으로 1명을 제낀 후 중거리 슛팅을 시도했다. 삐~ 전반전에 1골을 김지성이 넣었다. 상대편 볼부터 다시 시작을 한다. 상대편은 볼을 받고 중거리 슛을 때렸다. 다행히 우리 키퍼가 잘 막아냈다. 우리 팀 키퍼가 킥을 찬다는 신호를 보낸다. 우리 팀은 라인을 올린다. 최잼민이 높이 올라온 볼을 잡으려다 실수했다. 실수한 볼이 굴러간다. 간신히 다시 볼을 잡은 최잼민이 드리블하다 이채비과 2대1 받고 상대 골대와 가까운 곳에서 슛팅을 때린다. 골 삐~골 최잼민이 골을 넣었다. 우리 팀은 이기고 있었지만 키퍼 실수로 1골을 실점하고 경기 종료 2-1로 경기 승리...

마지막 경기를 이겼다. 이제 스토브리그가 끝난 뒤 김지성은 집에서 경기 때문에 못한 게임도 즐기고 너튜브도 보고 엄마가 해준 맛있는 밥도 먹는다. 다음날 김지성은 또 훈련을 나간다. 이제 5학년은 6학년과 같이 빡센 훈련을 같이 한다. 재능충이 이었던 김지성은 예상대로 못하진 않았다. 1주일이 지나 또 다른 여름 경기들이 잡혔다. 그건 바로 큰 대회인 태백경기이다. 김지성은 긴장이 됐다. 태백대회에 나온 팀은 다 잘했기 때문에 긴장이 된 것이다. 하지만 태백경기는 다음 주었고 연습할 시간은 충분했다. 다음 주가 되어 연습한대로만 하자는 마음으로 태백경기장 근처 숙소로 이동한다.

숙소 도착 후 짐을 풀고 코치님과 밥을 먹으러 갔다. 밥을 다 먹고 다시 숙소로 와서 씻고 코치님과 미팅 후 잠을 잔다. 다음날... 아침 일찍 일어난다.

지금 시각은 6:30이다. 일단 경기 유니폼을 입고 아침 밥을 먹고 다시 숙소로 와서 양치를 하고 축구화를 챙겨서 경기장으로 간다.

도착 후... 정강이 보호대를 끼고 축구화를 신고 훈련을 한다. 뛰기도 하고 2인 1조로 패스도 한다. 그다음 마지막으로 포지션을 짜고 경기장으로 들어간다. 상대편은 안산 더 베스트다. 김지성은 왼쪽 윙백고 중앙수비는 주상천하 오른쪽 윙백은 염소지 중앙 2명은 이채비와 최잼민 공격수는 정처우와 이시반이 한다. 1쿼터는 상대편 볼로 시작을 한다. 삑~ 휫슬이 울리고 우리는 다 같이 라인을 올린다. 상대가 볼을 돌린다. 우리는 실수할 때만 웃다. 라며 이동했다. 상대편 미들인 10번이 볼을 잡고 기술을 써 이채비를 재긴 후 슈팅을 날렸다. 삑~ 전반전 10분 만에 골을 먹혔다. 하지만 다시 마음을 잡고 경기가 시작된다. 삑~ 정현두가 잼민에게, 잼민이는 주상천하에게 주고 다시 김지성에게 준다. 김지성은 상대 맨트에게 알을 넣고 역습을 한다. 앞에 침투하는 현두에게 주고 다시 앞으로 지성이 침투해서 슈팅을 했고, 골을 넣었다. 안산과 지금 1-1이다. 1쿼터가 끝이 난다. 2쿼터가 시작된다. 이번엔 우리 볼부터 시작해 나간다. 다시 주상천하가 볼을 잡고 지성이에게 주고 지성이 드리볼을 하다 미들에 잼민이에게 주고 잼민이가 치고 나가다가 침투하는 지성이에게 주고 2대1 받는다. 그리고 다시 뛰고 있던 현우에게 볼을 준 뒤 한우가 골대 앞에서 터닝슛을 해서 MB에 두 번째 골로 2-1로 이겼다. 그렇게 MB는 첫 경기부터 승승장구하여 두 번째 경기때 1-1로 무승부를 하고 3번째 경수와 3-2로 이기고 4번째 경기에서 4-0으로 이겨 1조 1위를 한다. 그리고 힘든 경기가 다 끝나고 1주일의 휴식을 한다.....

　1월 2일 지성이와 친구들이 6학년이 되고 첫날 둘째날엔 기본적인 훈련을 했지만 시간이 지나 세 번째 되던 날 평소처럼 드리블을 하다. 패스게임을 하며 실수를 해서 엄첨나게 혼나는 하루가 되고 몇 달 동안 그렇게 빡센 훈련을 하고 6학년이 거의 마지막이 될 때쯤 겨울 대회가 잡혔다. 첫 경기는 성남이다. 전에 9-1로 완패 했지만 오랜 훈련으로 1쿼터는 1-1. 2쿼터는 마지막에 지성의 극적의 해딩으로 이기고 2번째, 3번째 경기도 승리하며 마지막 경기를 한다. 마지막 경기팀은 이한민+c로 잘한다고 유명하다. 1쿼터는 우리 볼부터 시작하여 우리에 계속된 공격으로 1골을 넣고 2쿼터에 코너킥으로 먹힐 뻔했지만 키퍼의 선방으로 1-0으로 우승을 한다. 정말 간절했던 대회 우승으로 지성의 초등학생 마지막 대회를 기분 좋게 끝난 것 같다.

제10편 크리스마스가 지나가기 전에

표승연

① 나리는 유라에게 와서 "유라야! 약속은 잡았어?"라고 물어본다.

유라는 "그럴 리가 있겠니." 하며 시큰둥하다.

"그럴 줄 알았다. 에휴.. 저기 보이니까 말해보는 건 어떰?"

나리의 말에 화들짝 놀란 유라는 마음을 다잡고

"응!!..그래 볼까..?" 라며 용기를 내어본다.

이 말에 힘을 보태듯 나리는 "당연하지." 하며 힘주어 말한다.

유라는 나리의 말에 떠밀리듯이 율이에게로 다가갔다. 하지만 율인 친구들하고 신나게 떠들고 있어 유라는 말을 쉽게 못 걸었었다. 눈치를 챈 율이의 친구들이 율이와 유라만 남게 자리를 비켜 주었다.

"율아. 크리스마스때 시간 있음 나랑 시내 갈래?"

"어? 시간이 있긴 한데 정말 나랑 시내 가도 괜찮아?"

율이의 대답에 유라는 바로 말하려고 하였지만 수업을 알리는 종소리가 울려 대답을 못하였다.

유라는 수업시간 내내 어떤 시간에 어떤 대답을 할까 고민하다 결국 점심시간에 대답하기로 했다.

반 친구들이 기다리고 기다리던 점심시간이 되자 유라는 율이에게로 다가가 자신의 대답을 알렸다. 그리고 유라는 율이의 시간에 맞추어 약속 시간을 잡았다. 약속을 잡고 점심을 먹으니 벌써 학교 수업이 끝났다고 몇몇 아이들은 집에 가버렸다. 역시 단축수업이다 보니 아이들은 좋아하는 눈치였다. 나도 아이들을 따라 집에 가려고 하니까 친구에게 붙잡혀 약속 날에 입을 옷을 사러 가게 되었다.

② 친구 나리에게 잡힌 유라는 친구에게 이끌려 옷가게가 많은 백화점에 왔다. 유라는 친구와 옷가게들을 둘러보다가 추운 날에 입을 수 있고 예쁜 옷가게를 발견해 나리와 옷을 고른다.

옷을 자세히 보고 그날 날씨에 따라 입을 수 있고, 예쁜 옷을 신중히 고르고 있었다. 옷을 둘러보다가 나리와 유라가 같이 예쁘다는 옷을 골라 한번 입어 보았다. 흰색 니트에 연노랑 롱치마, 베이지색 털코트. 딱 크리스마스 때 입기 좋은 옷이다. 고른 옷에 대한 가격을 지불하고 집으로 오며 설레는 마음을 주체할 수 없었다.

③ 집으로 돌아온 뒤 유라는 율이와 알찬 크리스마스를 보내려고 고민하고 있었다. 마땅한 방법이 생각나지 않자 인터넷에 검색을 해 보았다.

"님친과 데이트하기 좋은 코스..홍대 유명한 카페...아 진짜~!! 왜 전부 검색결과가 없는 건데!"

유라는 나몰라라는 듯이 화내며 말했지만 마음을 가다듬고 다시 한번 여러 번 검색해 보았다. 하지만 검색해 나온것들은 참고하며 사용하기엔 턱없이 부족하였고, 유라는 결국 마음이 가는 데로 거리를 다니기로 하였다. 율이가 어떤 계획을 세우는지도 모른채

그 시각 율이는 친구들이 축구허자는 말도 무시한 채 학교가 끝

나는 시간에 바로 친 누나에게 부탁해 계획을 세우는 중이었다. 율이의 친누나는 "그래서 옷은 꾸안꾸민 듯이 머리는 반깐머가 좋겠다." 라고 말했다.

"누나 진짜 고마워! 답례는 꼭 해줄께!"

율이가 답례를 꼭 해주겠다고 말하자 율이의 친누나는 기쁘다는 듯 씨잇 웃었다. 하지만 웃음의 침묵을 깬건 율이의 누나였다.

"그런데 왜 너가 그 여자애랑 논다는 거야?"

"어? 그야 내가 좋아하니까", "진짜!! 그 아이는 좋아하는 거 알고 있어?"

"아니"

"그럼 왜 만나는 거야?"

"약속은 유라가 잡았지만 그냥 같이 시간보내자는 뜻 같아서"

"야!!!, 지금 나랑 장난해!! 그 유라라는 아이도 너 좋아해서 만나자는 거잖아."

"어..? 그럴 리가 난 그냥 내 마음을 알기만 해 주었으면 되는 마음에 만나자고 한건데."

"아.. 진짜. 답답해 죽겠네. 내가 말을 말자 말을 말아.. 어쨋뜬 이거리는 이렇게 해서"

율이의 누나는 율이의 행동에 많이 답답해 하였지만 무시하고 다시 계획을 짰다.

율이는 누나와 계획을 짜다보니 아침인걸 알았다.

율이와 유라는 오늘이 약속 날인걸 깨닫고 이른 아침부터 준비를 했다. 약속장소에서 만난 둘은 율이가 짜온 계획으로 같이 시내로 걸으며 크리스마슬 만끽했다.

제11편 6명의 탐정

홍민지

1. 학교살인사건 : 학교수업 중 옥상에서 비명소리가 나 올라가니 학생이 죽어 있다.

2022년 9월 8일 사건의 시작. 한가한 수업 시간 학교 옥상에서 한 학생의 비명 소리가 들린다.

친구들 : 이게 무슨 소리야? 무서워(공포에 떨고 있다.)

선생님 : 애들아! 괜찮아.

이율별 : 선생님 저희가 가볼까요?

선생님 : 아니야 선생님하고 다 같이 가자

윤라미 : 그래요. 다 같이 가요.

옥상으로 조심 조심 올라가 문을 열자 모두가 겁에 질리고 깜짝 놀랐다.

이제야, 윤잭 : 선생님 이게 무슨 일이에요?!

선생님 : 애들아 얼른 119 부르고 다른 선생님들 모셔와! 얼른!

신고를 받고 경찰과 119는 재빠르게 왔다. 6명의 탐정에게 경찰이 다가와 인사를 한다.

경찰 : 안녕하세요. 탐정님들

6명의 탐정 : 네. 안녕하세요!

율별이는 망설이며 대화를 시작한다.

이율별 : 저 이런 부탁 어려우신 거 아는데요. 그래도 이 수사 저희 탐정들에게 넘겨주세요.!

연비가 당황하며 율별이에게 말을 한다.

이연비 : 율별아. 그래도 우리가 이수사 할 수 있을까? 우리에게는 너무 어려운 수사같은데...

윤류 : 걱정마. 우리가 실패한 수사가 있냐..

류는 헛웃음을 지으며 말했다. 그때 경찰분이 말을 한다.

경찰 : 네! 알겠습니다. 상부에서도 넘겨도 된다는 지시가 내려왔습니다.

율별이는 웃으면서 말한다.

이율별 : 감사합니다. 이수사 책임지고 범인을 밝혀내겠습니다.

류는 조사를 위해 사람들을 내 보낸다.

윤류 : 여러분들 조사를 위해 모두 나가 주시길 바랍니다.

이율별 : 자 이제 사람들도 나갔겠다 시작하자

율별이는 조사를 시작한다고 말한다.

이제야 : 그럼...! 시신부검부터 할까?

윤라미 : 야! 이 바보야!

이제야 : 내가 뭘 했다고 때리냐! 아프잖아!

윤잭 : 제야야 부검이 아니라 조사부터겠지

이연비 : 그럼

빨리 조사하고 나가자 여기 너무 무서워!

이율별 : 야! 우리가 있잖아. 그러니 너무 무서워 하지마! 연비야

이연비 : 율...율별아

이율별 : 야 연비야 왜 울어(당황)

윤류 : 그만해....우리 진짜 진짜 시작해야 되거든, 그러니 빨리 시작하자 얼른!

2. 수수께끼의 힌트 : 학교 이곳 저곳을 돌아다니며 힌트를 찾는다.

이연비 : 이 정도면 조사는 끝난건가?

이율별 : 응 이제 끝난 것 같아윤잭 : 그럼 조사도 끝났겠다. 유진이에 대해서 조사하러 가자

이제야 : 근데 유진이는 몇 반이지?

윤라미 : 1학년 5반 정유진

윤류 : 언제 다 조사했데?

윤라미 : 탐정한테는 정보 모으기는 식은죽 먹기지

이율별 : 그만들 좀 하시고 이제 좀 가시지

윤라미, 윤류 : 알았어. 얼른 가자

탐정들은 유진이반인 1학년 5반 앞으로 갔다.

이제야 : 여긴가?

윤잭 : 여기 맞네 잘 찾아 왔어.

이율별 : 흠.....

윤라미 : 율별아 왜 그래?

이율별 : 아니 뭐가 이상하지 않아?

윤류 : 왜? 뭐가 이상한데?

이율별 : 아니 친구라면 유진이가 죽어서 슬퍼할 줄 알았는데 그 정반대여서

이연비 : 그러게 아무도 슬퍼하지 않아.

윤잭 : 그러지 말고 빨리 탐문 수사하자.

이제야 : 그래! 얼른 시작하자

반 안으로 들어가 한 학생에게 말을 걸었다.

이율별 : 이라임? 라임학생 혹시 정유진 학생에 대한 이야기를 해줄 수 있나요?

이라임 : 제가 왜 유진이에 대해 이야기를 해야 하나요?

이율별 : 수사를 위해 적극적으로 말해주세요.

이라임 : 네. 말할께요...

이율별 : 라임학생이 알고 있는거를 자세하게 말해주세요.

이라임 : 유진이는....반에서 가장 조용했고 착하고 성적이 좋아 일 진들에게 숙제도 해 주고 그랬죠. 유진이가 음침하다는 소문때문에 아무도 유진이 옆으로 가지 않으려고 했어요.

이율별 : 유진이에 대해 더 없나요?

이라임 : 네. 제가 알고 있는 정보는 여기까지 밖에...

이율별 : 유진학생 정보 감사합니다. 그럼 저는 이만 가보겠습니다.

이라임 : 아! 잠시만요. 유진이가 창고를 많이 갔던 것 같아요.

이율별 : 알려줘서 고맙습니다.

이율별 : 얘들아, 창고에 가보자.

이연비 : 무슨 일인데 이렇게 서둘러?

이율별 : 유진이가 창고에 많이 간 것 같다고 해서, 증거가 사라지기 전에 얼른 가보려고

이제야 : 근데 창고가 어디야?

윤잭 : 아휴, 멍청아! 중앙현관 아래 있잖아!

이제야 : 아하! 거기에 있구나!

윤라미 : 야! 너 진짜 IQ 200 맞냐?

이제야 : 야! 나 IQ 200 맞거든!

이율별 : 그만들 좀 싸워. 지금 한시가 급하다고, 빨리 가야 한다고!

윤라미 : 그래. 율별이 말이 맞아 얼른 가자 증거 놓치기 전에 얼른

3. 굳게 닫힌 문 : 창고 조사하려고 창고 안으로 갔는데 문이 잠겼다.

6명의 탐정은 창고 앞에 도착했다.

이연비 : 여기가 창고야? 너무 무서워!

이제야 : 여기에는 현관 등도 없네. 으스스하다.

윤류 : 휴대폰 손전등 사용하면 되지!

윤잭 : 무서우니 얼른 들어가서 조사하고 나오자.

이연비 : 안돼! 절대로 안돼!

이율별 : 왜?! 뭐가 안되는데?

이연비 : 나는 너무 무서워 못 들어가 그러다 길을 잃어버리면 어쩌자고 이렇게 넓은 공간에서 너희를 못 찾으면 어떡하라고! 그리고 휴대폰 배터리가 없으면 누가 오기까지 기다려야 하잖아! 난... 싫....싫단 말이야!

이율별 : 그럼 너 혼자 여기에 있을 거야?! 넌 싫잖아. 그리고 우리를 너가 왜 못찾아 니가 우리를 못 찾는다 해도 우리가 널 찾으면 되잖아. 그러니까 그런 생각 하지마 알았지?

이연비 : 알았어. 이런 생각 다시는 하지 않을께. 대신에 내 옆에 꼭 있어줘. 알았지?

윤라미 : 알았어. 꼭 옆에 있어 줄게 연비야!

이제야 : 그럼! 이제 들어가자 우리 너무 시간이 많이 없어. 얼른 조사하고 나오자

6명의 탐정이 창고 안으로 들어가자 마자 뒤에서 콰소리와 함께 창고에 문이 잠겨 버렸다.

이연비 : 이게 무슨 소리야!

윤류 : 문이...문이 잠겼어. 누가 고의적으로 우리를 창고에 가뒀었다.

윤잭 : 우리 이제 어떻해 해야 되...?

이제야 : 뭘 어떻해. 일단은 살려달라고 외쳐야지

친구들은 살려달라고 외치기 시작한다.

이율별, 이연비, 윤라미, 윤잭, 윤류, 이제야 : 살려주세요! 살려주세요!

윤류 : 그만하자. 10분째 아무도 오지 않아.

이연비 : 우리 진짜 여기에 갇혀 있어야 돼?!

4. 창고의 비밀 : 창고 안에는 죽은 아이의 사진이 가득 했다.(비밀의 문)

시간이 얼마나 지났을까 아무도 오지 않았다.

이제야 : 우리가 여기에 계속 갇혀 있어야 해?!

윤잭 : 야! 이제야! 조용히 좀하고 있어!

이율별 : 우리가 여기에 갇혔다고 해도 수사는 계속 진행해야 돼

윤라미 : 우리 학교 창고는 워낙 커서 비상구쯤은 있을 꺼야.

이연비 : 그럼 탈출구부터 찾자.

윤류 : 아니, 우리는 수사하는게 목적이기 때문에 조사 먼저 한 다음에 탈출구를 찾자.

이율별 : 얘들아 잘 들어봐, 창고가 큰 학교는 모두 다 나갈 수 있는 문이 두 개가 있지. 근데 이렇게 크고 넓은 창고에 비밀의 문 하나가 없다면 그건 뭐가 좀 이상하지 않아? 그래서 내가 그 비밀의 문을 찾았다. 이 말이지

윤라미 : 진짜? 대박 완전 신기하다.

윤잭 : 얼른 들어가자. 얼른!

이연비 : 그런데, 얘들아! 여기에 유진이 사진이 왜 이렇게 많아?!

윤류 : 내 생각인데 살인사건 범인은 우리 학교 사람이야. 외부인

은 우리 학교 출입금지인데다가 창고비밀번호를아는 사람은 학생회 부원과 몇 명, 선생님들 그리고 우리.

이제야 : 그 말은 학생회 아님 선생님들이라는 거네.

윤잭 : 그럼 여기서도 수사를 해야겠지? 그치?

윤류 : 당연히 수사해야지 그치...

이연비 ; 어차피 수사를 해도 아무것도 나오지 않아.

이율별 : 증거가 나오지 않으면 나올 때까지 찾아야지.

윤라미 : 그래 증거를 찾아서 범인을 잡고 해야지.

윤잭 : 그럼 더 들어가 보자.

5. 탈출성공 : 비밀의 방안에 들어 가 책장을 실수로 밀었는데 문이 나왔다.

구석에 숨거져 있는 케비넷을 찾았다

이제야 : 야! 얘들아, 여기 숨겨진 케비넷이 있어.

이연비 : 제야야, 얼른 열어봐.

윤잭 : 잠시만 안에 이상한 거 들어 있는 거 아니야?

윤라미 : 아니 이상한 거는 안 들어 있는 것 같아.

윤류 : 그래. 라미가 이상한 거 안 들어 있다는데 믿어야지.

이율별 : 라미 믿어보자. 라미, 제가 은근 촉이 좋잖아.

윤류 : 잭아. 하나 둘 셋 하면 열어.

윤잭 : 알았으니까 빨리해. 류야!

윤류 : 하나....둘 셋!

이율별 : 답을 찾았네. 이러면 발뺌하기 쉽지 않을 텐데.

윤류 : 그래 찾았네. 찾았어.

이율별 : 3학년 2반 학생회장 박은찬

윤잭 : 증거도 확보했는데 그럼 반으로 갈까?

이연비 : 야! 우리 갇혔는데 어딜 나가냐?

이율별 : 그만하고 증거는 여기에 두고 문을 찾자. 문을 찾아서 얼른 나가자

윤라미 ; 맞아. 하루빨리 여기서 탈출해 학생회장을 잡자.

윤잭 : 으아아아아아악!!

잭이 실수로 민 책장이 옆으로 밀어져 딸깍 소리와 함께 문이 열린다.

이율별 : 여기는 도서관이니 선생님 오시기 전에 얼른 나가자.

윤류 : 이제 나왔으니 학생회실로 갈까? 반으로 갈까? 골라

이제야 : 둘 다

이연비 : 당연히 둘 다 가야지.

윤잭 : 근데 뭐 좀 먹고 시작하자. 배고프다

이율별 : 되지. 뭐 먹고 싶은 거 있어?

윤라미 : 맛있는 거

이제야 : (우물우물) 그럼 범인은 박은찬 선배라는 거지?

윤잭 : 그치? 박은찬 선배가 범인이지.

이율별 : 시간도 늦었으니까. 내일보자. 학교는 1주일 쉰데. 나 먼저 간다. 천천히들 먹고 집에는 빨리 가!

윤라미, 이연비, 이제야, 윤잭, 윤류 : 응 잘가.

6. 살인사건의 진실 : 학생은 왕따였고 한 학생이 와서 죽었다.

2022년 9월 9일 사건이 일어난지 하루가 지났다.

이른 아침 학교 앞 공원에서 친구들이 기다린다.

이율별 : 이제 다 들온 것 같은데.

윤라미 : 응! 애들은 다 왔어.

윤잭 : 율별아. 그 노트는 뭐야?

이율별 : 이거 내가 정리한 사건노트 읽어줄까?

이연비 : 응! 읽어줘, 율별아.

이율별 : 그럼 읽는다. 사건의 시작 2022년 9월 8일 오전 10시경. 피해자 신원 나이 17세 정유진 학교 옥상 한가운데서 사망. 유력 용의자 학생회부원, 몇 명 선생님들, 친구들과의 관계 반에서 가장 조용한 성격으로 착하고 성적이 좋아 일진들의 숙제를 대신해 줌. 유진이가 음침하다며 아무도 가지 않음. 창고에 자주 들렸음. 이 정도 정리?

윤류 : 대박 완전 잘 정리했다!

이연비 : 다시 출발해 봅시당!

6명의 탐정들은 학교 뒷문에 멈춰 섰다.

윤류 : 학교 문이 잠겨 있네. 비번 아는 사람!

떠들던 말 소리가 사라져버렸다.

윤류 : 아무도 없구나....

이율별 : 넘 자. 그러면

윤잭 : 뭘?

이율별 : 비번을 모르면 담장을 넘자고.

담을 넘자 태평하게 걷고 있는 학생회장 박은찬이 보였다.

이율별 : 저기 선배님. 혹시 시간 괜찮으시나요?

박은찬 : 아..아니. 미안 내가 오늘은 조금 바빠서 안녕

박은찬은 재빨리 도망치기 시작했다.

이제야 : 잡아!!!!!!!

박은찬은 금새 6명의 탐정에게 붙잡혔다.

박은찬 : 용케도 알아내다니 대단해. 역시 탐정들이야. 정유진...그래 정유진만 아니였다면 그거 아나 모르겠네

내가 정유진을 왜 죽였겠어. 왕따니까 죽였지. 나는 왕따 아니면 안 죽여.

이율별 : 그게 무슨 소리야. 알 수 있게 말해. 박은찬!!

박은찬 : 말 그대로야. 너희 이라임에게 낚긴거야. 걔도 공범이나 마찬가지지. 그리고 못 느꼈나 보네. 정유진이 죽어도 아무도 몰라. 왜냐고 왕따니까 일진들에게는 정유진이 하찮은 장난감일 뿐이야. 자! 이거 받아. 정유진이 남긴 편지야. 이거는 나의 양심과 너희에게 해줄 수 있는 마지막 배려야.

이연비 : 잠깐 멈춰 박은찬!!

이율별 : 아니야. 지금은 박은찬은 반드시 학교로 돌아오게 되어 있어.

7. 마지막 편지 : 유진이 마지막으로 남긴 편지

윤라미 : 한번 읽어볼까?

이율별 : 그래. 내가 읽어볼게.

To. 6명의 탐정님들에게 탐정님들이 이 편지를 읽고 계실때면 저는 이 세상을 떠났겠죠. 저는 제가 죽은걸 후회하지 않아요. 저는 죽길원했으니까요. 그런데요. 막상 죽으려고 하니 무섭더라고요. 회장한테서부터 저를 죽이겠다고 협박문자가 왔어요. 그래서 이 기회를 삼아 죽으려고 했죠. 몇 번이고 죽으려고 학교옥상에서 자살을 시도해 봤는데 않되더라고요. 부모님한테 짐만 된 것 같네요. 저는 왕따여서 부모님께 왕따라는 사실을 못 말했어요. 말을 해도 부모님이 우는 걸 못 보겠어. 일부러 말을 안했어요. 그래서 죽음을 선택했고, 저는 "9월 8일 10시에 죽고 싶으면 와라 기다리겠다." 라고 문자가 왔어요. 그래서 지금이구나 생각했죠. 학생회장, 자신에 가족을 언급하면 사람이 완전히 달라져요. 왕따인 것도 서러운데 일진들 장난감이라 더는 못 버텨요. 하루하루가 괴롭고 세상이 원망스러워요. 이런 세상이 싫고 괴로운데, 저는 더 이상 살 의지가 없네요. 저는 이 불공평하고 괴로운 이 세상에서 그만 떠나겠습니다. 마지막 제 부탁인데 반에 있는 물건을 부모님께 갖다 드려 주세요. 분명 부모님이 좋아하실 거예요. 그럼 감사합니다.

편지를 다 읽고 나니 모두가 눈시울이 붉어졌다.

이연비 : 너무 슬프다..

윤잭 : 그만 울자 유진이의 마지막 부탁 들어줘야지

윤류 : 그럼 일른 유진이 반으로 올라가자.

이제야 : 이라임은 어떡해할 거야.

이율별 : 박은찬부터 잡고 이라임도 잡자. 라미야! 유진이집이 어디지?

윤라미 : 따라와. 알려 줄게. 빨리 유진이 부모님께 얼른 드리자.

터벅터벅 유진이네 집으로 걸어 간다.

윤라미 : 여기야. 윤진이네 집이.

이제야 : 초인종 눌러 볼게.

"띵동! 띵동!"

유진이어머니 : 누구....세요?

이연비 : 유진학생이 전해달라는 편지드리러 왔습니다.

"철컹" 문이 열렸다.

유진이어머니 : 거기 학생 이름이.

이율별 : 이율별입니다.

유진이어머니 : 학생이 읽어 줄 수 있나요...?

이율별 : 네 당연하죠. 읽어드리겠습니다.

To. 엄마에게 짜잔! 엄마놀랐지? 헤헹 미안해 엄마...엄마 옆에 평생 오랫동안 같이 있어 줬어야 하는데...

나...사실 왕따야. 엄마 내가 그래서 죽었어. 괴로워서 차마 엄마에게는 못 말했어. 엄마 울까봐. 엄마 나 아직 많이 사랑하지.....? 난 엄마 무지무지 사랑했어. 근데 더는 옆에 못 있어주네. 그래도 괜찮아. 엄마를 언제나 지켜 볼꺼고 또 꿈에도 나올거니까 걱정하지 말고, 울지마. 밥도 잘 먹고, 엄마! 이제는 나 말고 엄마옆에 있는 사람, 아빠하고 행복하게 살아 엄마, 그리고 아빠. 엄마가 힘들고 괴로울 때 항상 옆에 있어줘! 꼭 지켜 아빠! 사랑하는 딸과 하나뿐인 약속이니 엄마, 아빠 사랑해! 내 걱정 그만하고 행복하게 살아 엄마, 아빠의 자랑스러운 딸 유진이가

모두가 소리없이 입을 막고 울었다.

유진이어머니 : 물건 가져다줘서 고마워요.

윤잭 : 저희는 가보겠습니다. 안녕히 계세요...

다들 몇 시간 동안 아무 말도 못 한채 울고만 있다.

이율별 : 오늘 수사는 여기까지만 하자 집 가서 푹 쉬고 내일 보자. 먼저 갈게 애들아.

윤류 : 율별이하고 생활하면서 우는 건 처음봐.

윤라미 : 나도.. 자그마치 15년이나 같이 했는데..

다들 눈물로 젖은 채 집으로 돌아간다.

8. 수사종료 : 평범한 하루로 다시 돌아갔다.

2022년 9월 10일 뉴스에는 우리 학교가 나오고 피해자 정모씨와 그를 살해한 학생회장 박모씨라고 나온다. 박은찬 선배는 우리가 체포하여 경찰에 넘겨 더 자세하게 수사를 했고 모든 사람들에게 비판을 받았다. 우리는 모든 사람에게 힘찬 칭찬에 말과 박수를 받고 경찰들과 국가는 우리를 정식 탐정으로 인정하였다.

우리는 정식 탐정이 되었고, 최초의 중학생 탐정이라 세계유네스코에 등록되었다. 우리는 다시 원래대로 돌아 왔고, 우리 학교는 아무 일 없었다는 듯이 평화로워졌다. 우리 탐정들은 언제나 긴장의 끝을 놓칠 수 없었다. 그리고 우리에게는 6명의 천재 탐정이라는 별명이 붙었다. 드디어 우리는 평화로운 학교생활이 다시 찾아 왔다.

제12편 외출이 아닌 가출

김시환, 우효빈, 이승현

나비가 어느새 16살이 됐다. 나비 어머니 직업은 소설가, 아버지 직업은 택시기사다. 동생, 누나, 형에 나이는 동생은 9살, 누나는 17살, 형은 19살. 그런데 16살인 나비가 형과 아버지한테 가정폭력을 당해 나비는 외출하고 온다면서 나간지 2일이 넘도록 안 돌아와서 가족들은 나비가 외출이 아닌 가출을 했다고 생각하는 가족. 그래도 아버지는 별일 없겠다고 생각하고 있다. 나비가 가져간 돈은 1억 5천만원. 나비는 외국으로 나가 20살까지 외국에서 살고 있다. 나비가 떠난 곳은 미국. 미국에서 직장을 구하고 살고 있다가 한국으로 간다. 한국에 도착한 나비는 다시 집을 찾아왔고, 자기 동생이 학교가 끝나고 집으로 돌아오고 있는데 나비를 발견하고 나비를 집 안으로 들어 가게 하려고 그러는데 슬픈 문자가 날아 온다. 그건 바로 어머니가 돌아가셨다는 것이다. 나비를 찾지 않고 계속 택시 일만 하는데... 한편 나비는 모텔에서 자고 있는데 누군가 모텔 문을 두드리는데 경찰이 두드린거였다. 경찰이 물었다.

"경찰입니다. 혹시 ***딸 되시나요?"

나비가 말했다.

"아닌데요. 그 사람이 누구죠?"

"아! 그런가요. 이분 맞는거 같은데..."

"절대 아닌데요. 사람을 잘못 보신 듯 하네요."

"***씨가 실종신고를 해서 그런데 아닌듯 하네요. 그럼 안녕히"

"아니 잠깐만요."

"왜 그러시죠"

"아..아니에요.".

"그럼 가겠습니다."

"네. 안녕히 계세요(아..말할걸 그랬나..아니다. 안 말하길 잘한 것 같네)"

나비는 너무 긴장한 탓에 잠이 들었다. 오전 8시 나비가 일어났다.

"으.. 몇 시지? 헉... 8시네 빨리 알바하러 가야겠다."

알바를 하러 간 곳은 편의점이었다. 그렇게 오후 3시까지 알바를 하고 편의점을 나왔다. 그 다음 알바는 카페였다. 카페에서 4시부터 8시까지 일을 하고 나와서 다시 모텔로 갔다.

"아, 진짜! 편의점에 진상이 많아서 온몸이 뻐근하네. 내일부터 편의점 알바는 그만 둬야겠다."

그 순간 문에서 소리가 났다. (철컥)

"누구세요? 어!!!"

"바보야, 나야 진수."

"너가 여기 왠 일이냐?"

"그냥 심심해서 걱정되기도 하고 집에 잠깐 들어가 있어도 되?"

"그래 들어와. 근데 여긴 왜 찾아왔어? "

"아까 말했잖아. 심심하기도 하고 걱정되기도 하니까. 그래서 이제 뭐하지? 그런데 왜 가출했어?"

"그러니까.......(상황 설명 중)"

"아, 그래서.... 그래도 부모님이 걱정하지 않을까?"

"아니, 절대 아니야!"

"왜 그렇게 생각해?"

"우리 부모님은 날 버렸어!! 어릴 때부터 때리면서 교육시켰거든."

"그렇기 때문에 너가 이렇게 살아있는 거 아닐까?"

"아니, 그럴 일 없어! 아무튼 이런 이야기 할꺼면 당장 나가!"

"일단 알겠어,(내일 또 와야겠다,)"

진수가 나간 뒤, "아, 내가 너무 심했나. 갑자기 미안해지네."

다음 날, "안녕하세요. 행복한 편...?!"

"어! 나비야. 너 여기서 일해?", "응..."

"어.(음료수 두 개 가져옴)", "2600원이야."

"이거 하나 너 먹어.", "어, 괜찮아 (띠링: 나감)"

오후 3시

"이제 호텔 가야지. 진수야?"

"어, 나비야!"

"너가 왜 여기 있어?"

집에 가는 중

"나비야."

"응?"

"너 언제까지 호텔에서 지낼꺼야?"

"잘 모르겠어......."

그렇게 끝나지 않은 우리의 이야기는 끝이 났다.

제13편 페레스킨

김윤찬, 박건우

등장인물 : 페레스킨, 페레스킨 엄마, 수학학자, 물리학자들, 짐폴슨
줄거리 : 이 세계에는 S.D.O(seven Day one)라는 공간이 존재한다. SDO에서 1주일마다 사람 한명을 정해 10살이 되는 해에 10년간 S.D.O에서 생활하면 초능력자가 될 수 있는 기회를 준다.

　주인공인 페레스킨은 S.D.O에 갈 수 있는 기회를 얻게 되고 페레스킨은 1달 뒤 S.D.O로 가게 된다. 그렇지만 이상한 점은 10년 간 생활해야 하는데 페레스킨은 1년 동안만 생활하고 초능력자가 된 것이다. 또 초능력은 최대 2개까지만 얻을 수 있지만 페레스킨은 모든 초능력을 쓸 수 있었던 것이다. 페레스킨은 점점 크면서 자신이 이상하다는 것을 깨달은 것이다. 페레스킨은 왜 이런 일이 발생하게 됐는지 조사를 시작하고 누가 고의적으로 1년만 생활하게 끔 만들었다는 것을 알게 되고 그 사람이 누구인지 알기 위해 이 일이 잘못되었다고 생각하는 수학자, 물리학자, 과학자들을 모아 자신의 초능력의 일부를 줄 수 있는 기계를 만든 뒤 이 일이 잘못되었다고 생각하는 사람들, 초능력자들을 모아 자신의 초능력을 나누어주고

군대를 만들어 S.D.O에 비밀을 파헤치러 간다.

군대를 이룬 페레스킨은 문제가 생겼다. 바로 S.D.O에 갈 수 있는 방법을 모르는 것이다. 결국 페레스킨과 사람들은 헬리코박사를 찾아가게 된다. 헬리코박사는 여러 가지 발명품을 만드는 과학자이다. 페레스킨은 헬리코박사에게 시공간 이동 장치를 발명해 달라고 한다. 6개월 뒤 헬리코박사가 시공간 이동 장치를 페레스킨에게 준다. 시공간 이동 잔치 1명만 탈 수 있어 페레스킨만 과거로 가게 되고 페레스킨이 9살인 해인 14년 전으로 돌아가게 된다. 그때 페레스킨은 14년을 140년으로 입력하게 된다. 다시 140년 뒤로 가려고 했지만 그 시간 이동 장치는 과거나 미래로 가면 다시 돌아 올 수 없는 시공간 이동 장치이었던 것이다. 페레스킨은 해서는 않되는 시간 영역에 도전하게 되고 성공적으로 다시 현재로 돌아오고 다시 타임머신을 타고 14년 전으로 가 S.D.O의 비밀을 파헤치고 S.D.O 장관이 엄마인 것을 알게 되고 이 사실을 세상에 알리고 엄마는 장관자격이 박탈당하고 부장관이었던 아빠가 장관이 되고 S.D.O에서 10년 간 생활하고 초능력 1개를 얻어 행복하게 살았다.

이 세계에는 S.D.O(seven Day one)라는 공간이 존재한다. S.D.O에서는 1주일마다 사람 1명을 정해 10살이 되는 해에 10년 간 S.D.O에서 생활하면 초능력을 가질 수 있는 기회를 준다. 주인공인 페레스킨은 S.D.O에서 10년 간 생활하면 초능력을 얻을 수 있는 기회를 준다는 편지를 S.D.O로부터 받게 된다. 처음엔 반대하시던 부모님이 S.D.O라는 곳이 어떤 곳인지 알게 되고 S.D.O에 가는 것을 허락해 주는 대신 매인 편지를 쓰라고 하셨다. S.D.O에 갈 수

있는 기회를 얻게 된 페레스킨은 무척 기뻤다. 1달 뒤...페레스킨은
짐을 싸고 S.D.O로 향하고 S.D.O에 도착하게 된다.

S.D.O에 도착한 페레스킨은 짐을 풀고 3`4구역의 관리자 짐폴슨
에게 S.D.O에 관한 이야기와 간단한 규칙을 듣게 된다.

규칙1 밤 10~9시까지 취침시간

규칙2 취침시간에 자신의 방에서 나올시 초능력자가 될 자격 박
탈

규칙3 S.D.O 총관리자 Mr. 칼리 푸스의 말을 거역할시 초능력자
가 될 자격박탈

중요한 규칙은 이 정도야. 궁금한 거 있으면 언제든 물어봐"

페레스킨은 S.D.O를 보며 궁금증이 생겼다.

"짐폴슨! 혹시 S.D.O는 자연적으로 생긴 건가요?"

"나도 몰라"

페레스킨은 한 달동안 S.D.O에서 생활했다. 그때 짐폴슨 말했다.

"이제 나가면 초능력은 랜덤으로 1개 얻을 수 있을 거야."

페레스킨은 당황했다.

"네? 이제 1달 됐는데요?"

짐폴슨이 말했다.

"나도 모르겠는데?"

일단 페레스킨은 나왔다. 여기서 이상한 점은 초능력은 1개에서
2개만 얻을 수 있는데 페레스킨은 모든 초능력을 사용할 수 있는
것이다. 모든 초능력을 가지게 된 페레스킨은 처음엔 별로 대수롭

지 않게 생각했다. 그러나 점점 커가면서 자신이 다른 사람과는 다르다는 것을 알게 된다. 그렇게 조사를 시작한 페레스킨은 절대로 자연적으로는 초능력을 3개 이상은 얻을 수 없다는 것을 알게 된다. 그렇게 누군가 고의적으로 S.D.O 에서 1달 만생활하게 하고 모든 초능력을 사용할 수 있게 해준 것이라는 확신을 가지게 됐지만 S.D.O에 대한 정보는 인터넷에 전혀 나와 있지 않았기에 자신이 직접 S.D.O에 가서 조사를 하기로 한다. 그렇지만, S.D.O에 가는 방법을 모르는 것이다. 그래서 발명가 헬리코박사에게 간다.

"여기가 헬리코박사님이 계신 곳인가?"

페레스킨은 초인종을 눌렀다.

띵동~ 띵~동~

"똑똑똑 계세요?"

"누구쇼"

"저 페레스킨인데요... 혹시 시공간 이동 장치를 만들어 주실 수 있나요?"

"3개월 안에 만들어 주겠네"

3개월 뒤....

헬리코박사는 타임머신을 만들어 페레스킨에게 주었다. 그렇게 시공간 이동 장치를 받은 페레스킨은 타임머신을 사용해 자신이 10살이었던 14년 전으로 돌아 가려고 했지만 실수로 14년을 140년이라고 입력한 것이다. 페레스킨은 당황했지만 침착하게 다시 타임머신을 타고 140년 후로 가려고 했지만 사실 그 시공간 이도 장치는 한번 사용하면 다시 사용할 수 없는 시공간 이동 장치이였던 것이다. 그렇게 당황한 페레스킨은 절망에 빠지게 된다. 그때 페레스킨은 좋은 생각이 났다. 자신의 능력 중 하나인 시간가속능력을 사용해 140년을 14초 만드는 것이다. 그렇게 자신의 능력을 사용해 무사히 140년 후인 현재로 돌아왔다. 더 이상 방법이 없던 페레스킨은 절대로 해서는 안되는 시간의 영역에 도전하게 된다. 그렇게 시간이동 능력을 사용하게 된 페레스킨은 무사히 14년 전으로 돌아가게 된다. 그렇게 페레스킨은 다시 S.D.O로 돌아갔다. 그렇게 모든 감시관의 시선을 피해 S.D.O에 모든 정보가 있는 기록실에 들어가게 된다. 그렇게 S.D.O에 대한 정보를 차근차근 살펴보던 페레스킨은 자신의 할아버지의 할아버지에 할아버지인 존스킨박이 S.D.O를 처음으로 발견했다는 것을 알게 된다. 더 정보를 찾아보던 페레스킨은 충격적인 사실을 알게 된다.

바로 자신의 어머니인 메리스킨이 S.D.O의 장관이라는 사실을 알게 된다. 그리고 S.D.O에서 1달만 생활하게 하고 초능력도 모든 초능력을 사용할 수 있게 한 것도 자신의 어머니인 메리스킨의 짓 이란걸 알게 된다. 그렇게 충격을 받은 페레스킨은 충분한 증거를 수집한 다음 이 사실을 사람들에게 알릴 계획을 세우게 된다. 그렇게 증거를 모은 다음 이 사실을 사람들에게 알리자 사람들은 S.D.O에 대한 의심은 점점 커지게 된다. 그러자 S.D.O의 장관인 메리스킨의 장관 자격을 박탈시키고 부장관이자 페레스킨의 아버지인 피터스킨을 S.D.O장관으로 진급시키게 된다. 그 뒤 메리스킨은 이민을 가고 페레스킨은 다시 S.D.O년간 생활하고 염력 초능력을 얻고 S.D.O의 부장관이 되어 피터스킨과 함께 더 나은 S.D.O를 만들어 갔다. 12

년 뒤 프랑스로 여행을 간 페레스킨은 엄청난 사실을 알게 된다. S.D.O는 사실 560년 전 자신의 머나먼 조상인 존스킨박이 처음으로 발견한 것이다. 하지만 그곳을 사람이 만든 것이라는 것은 알 수 없었다.

에필로그 1
S.D.O의 진실

S.D.O는 1165년 미국과 영국이 자연적으로 생겨난 S.D.O를 사람이 살 수 있게 만든 것이다. 기존에 있던 S.D.O는 사람이 발을 딛을 틈도 없을 만큼 오랫동안 방치되어 있었다.

그게 S.D.O 처음의 발견이다. S.D.O에 살던 사람이 모두 죽고 또다시 방치되다 존스킨박이 발견한 것이다. 그러나 현재의 사람들은 이 사실을 아무도 모르고 있다. S.D.O는 그런 곳이다.

에필로그 2
프랑스에서 3일차

페레스킨은 프랑스 여행 3일차에 에펠탑을 보러 가던 중

바게트 냄새가 코끝을 간지럽혔다. 그 냄새를 참을 수 없던 페레스킨은 바게트 집에 들어가 바게트 하나를 샀다. 10분 뒤 에펠탑에 도착한 페레스킨은 바게트빵을 한입 먹으려는 순간 한 여자가 염력을 쓰며 페레스킨의 바게트를 훔쳐 달아났다. 급하게 쫓아가던 페레스킨은 겨우 바게트를 훔쳐 간 범인을 잡은 페레스킨은 범인의 얼굴을 보고 깜짝 놀랐다. 범인은 S.D.O에서 베스트 프랜드였던 리

겔이였고 페레스킨은 왜 이런 짓을 했냐고 묻자 S.D.A를 나와 초
능력자가 되고 초능력 사용이 서툴러 초능력으로 사람한테 써서 벌
금으로 내느라 돈을 다 써서 배고파서 그랬다고 했다. 사정을 들은
페레스킨은 리겔을 용서하고 같이 바게트빵을 먹었다.

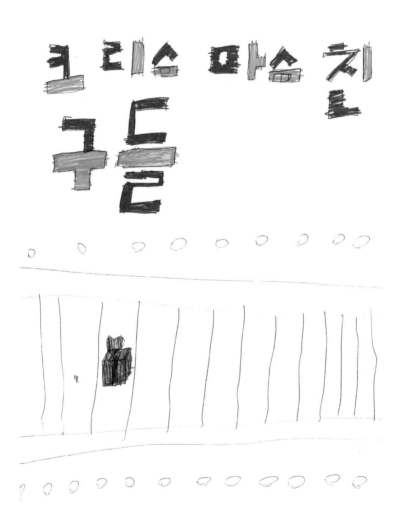

제14편 크리스마스 친구들

김하진

12월 25일 루루링이 라루에게 같이 놀래? 라루가 그러자고 했다. 라루랑 루루링이 같이 눈사람도 만들고 눈으로 산타 모양도 만들었다. 그랬더니 진짜 산타로 변해서 산타의 집으로 갔다. 루루링과 라루는 어리둥절했다. 산타가 상황을 설명해 주었다.

"너희가 힘들게 나를 만들어서 그걸 보고 감동받았단다. 그래서 너희에게 중요한 일을 맡기려고 한단다. 나머지 설명은 저기 있는 크리스마스 나무가 알려줄 거란다."

"너희가 맡은 일은 바로 선물을 운반하는 거란다. 여기 착한 일을 한 목록이 있으니 이걸 보고 선물을 주고 오거라. 그리고 친구도 있으니 같이 가거라." 거기엔 루나와 루니가 있었다. 그리고 옆에 썰매도 있어서 그걸 타고 목록에 있는 친구들에게 선물을 주러 갔다.

우린 최대한 빠르게 갔다. 가는 곳마다 울어서 한 명밖에 안 남았다. 마지막 친구는 울지 않아서 다행이었다. 들어갔는데 밥을 먹고 있어서 선물을 주며 메리 크리스마스라고 해 주었다. 그러자 머리에서 선물이 떨어지고 편지로 산타가 메리 크리스마스라고 써 주었다. 그걸 보고 잘했다고 생각했다. 그리곤 엄마가 손님이 왔다며 산타를 보여주었다. 재미있는 크리스마스가 되었다.

제**15**편 퀴즈 UP

이준, 주상현

정우빈, 정숭아라는 애들이 전학을 왔다.

근데 친구들 없었다. 그래서 우빈이와 숭아는 아쉬운 마음으로 집에 왔다.

그래서 정숭아는 먼저 말 걸었다.

"안녕?"

김성아는 어색한 말투로

"응?..그래, 안녕?"

김성아는 궁금했다. 왜 나한테 말을 걸어올까? 그래서 물어보았다.

"근데 난 널."

"나도! 알아 니가 날 모르는 것. 근데 난 그냥 친해지고 싶어서 인사한 거야!"

그런데 정숭아 옆에 있던 정우빈을 본 김성아는 '어디서? 많이 본 것 같은데?' 라는 생각이 들었다.

정우빈이 갑자기 퀴즈를 낸다.

레벨학교 학생들에게 여름방학이 찾아 왔다. 정우빈, 정숭아라는 애들이 레벨학교에 전학을 왔다. 정우빈, 정숭아는 쌍둥이다.

숭아가 대답했다.

"왜? 애들이 없는 거야?"

"방학이잖아!"

장난치는 말투로 그 애기를 듣던 김성아는

"안녕?"

"누구? 성아, 나? 난 김성아야! 그냥 성아라고 불러도 돼."

우빈이가 말했다.

"나! 궁금한 게 있어! 여기 회장 있어?"

"아직 회장 안 뽑았는데...."

"음으으~ 아! 그럼 여름방학 끝나면 회장 뽑아?"

"어?.........응, 응! 맞아"

"너 솔직히 모르지?"

"어!?.........응"

"그런데, 학교를 다니는 동안 방학이 언제 끝나는 줄 몰라?"

"어! 모른다. 어쩔래?"

"여기를 다니는 학생이 그 정도는 알아야지 않겠어?

"그럼! 너는 여름방학 언제 끝나는 줄 알아?"

"내가 어떻게 알아? 오늘 전학을 왔는데!"

"그만! 싸워 좀 사소한 것 같고 싸우고 그래? 화해해!"

우빈, 성아 "미안!" 며칠 후 방학이 끝났다.

그 다음 학교에 가는데 선생님이 말씀하셨다.

"자! 애들아 오랜만이야, 이제 열심히 공부해보자!"

반친구들 "네~~~!"

방학에 전학 온 애들이 있다.

선생님 "애들아, 들어와!" 우빈, 숭아가 말했다

"안녕 난 정숭아야. 그냥 숭아라고 불러도 돼."

"난 정우빈이야. 나도 우빈이라고 불러도 돼"

반친구들 짝짝짝짝짝!

"나 제네 아는데" 우빈, 숭아 "나도 제 아는데."

성아하고 같은 반이여서 좀 좋았다. 숭아가 성아에게 수학퀴즈를 냈다.

"5분에1+6분에1=뭐게요~?"

"나 정답을 알아 바로<30분에 11>이야"

"와! 맞았어. 성아야, 너 수학을 잘 하는구나!!"

"고마워"

숭아가 말했다 "성아야, 친하게 지내자."

'응!, 그래 알았어. 숭아야, 네가 친구들 소개시켜줄게. 박준아, 박상하라는 친구를 소개시켜줄게"

"안녕, 숭아야!'

"안녕, 준하야! 친하게 지내자. 준하야!"

"알았어! 나도 친하게 지내자!"

"성하야, 안녕!", "숭아야, 안녕!"

"친하게 지내자. 성하야", "알았어"

"준아야, 상하야, 내가 수학문제 내도 돼?', "'응!"

"12분에 15+17분에 14=?"

"정답은 바로 143분에 132이야"

"수학퀴즈를 잘 푸는구나~!"

"응. 고마워"

학교 끝난후 준아가

우빈이와 숭아를 불러 떡볶이를 사주었다.

"고마워. 준아야"

우빈이가 말을 걸었다.

"준아야. 내가 내일 우리 집에 초대함"

"고맙다~!"

우빈이는 학교에 가서 준아를 만났다.

"준아야, 오늘 우리 집에 와!"

"아! 맞다 알겠어!" 준아랑 우빈이는 학교가 끝나자 마자 바로 우빈이 집에 갔다.

"와! 너 내 집 거실 우리 집보다 넓다!"

"아니야. 작은거야"

"준아, 하이루"

"응?. 숭아, 하이루!"

"근데 우리 집에 무슨 일로 왔니?"

"응? 우빈이가 초대했는데?"

"우빈아. 초대 잘 했네!"

"응!'

우빈이 배에서 꼬르륵 소리가 났다.

"애들아, 배고프지? 내가 쿠키만들어줄까?"

"응!"

몇 시간 뒤

"다했어" 준아가 말했다. "맛있겠다"

"어? 이거 정말 맛있는데?"

"준아야, 쿠키만드는 방법 알려줘!"

"이거............좀 어려운데?"

"괜찮아!"

"응, 알려줄게. 그 대신 내가 퀴즈를 내지. 이 쿠키에 첫 번째로 들어간 재료는?(1. 달걀, 2.초코릿, 3. 설탕)"

"1번 달걀'

"나 이제 가볼게 미안해. 우빈ㅋㅋ!"

"야!!!!!!!!!!!!!!!! 쿠키 만드는 방법 알려주고 가야지"

준아는 기분이 좋았다. 왜냐하면 숭아가 정말 맛있다고 해서이다. 그리고 다음날 아침이 돌아왔다. 엄마가 말했다.

"준아야 지각하겠다. 빨리 일어나"

나는 일어나기 싫었다. 왜냐하면 너무 졸려서다. 준아가 말했다.

"엄마. 조금만 조금만 더 잘래!"

엄마는 한숨을 내쉬었다. 그리고 잠을 깨더니 8시 45분이었다. 준아는 마음 속으로 '아, 망했다.'

"그러니까 누가 엄마 말을 듣지 않고 자래?"

"알았어요. 학교갈께요."

학교 선생님이 이렇게 말했다. "준아는 자리에 앉아, 애들아 이제 정우빈, 정숭아는 전학걸거야 숭아, 우빈 작별 인사해."

"얘들아, 고마웠어. 특히 준아, 선생님. 정말 고마웠고 고마웠습니다."

숭아 "고마웠어" 이렇게 해서 레벨업 학교는 끝났다.

수상한 게임

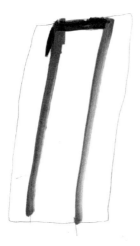

제16편 수상한 게임

등장인물 : 박민준, 귀신

즐거리 : 어느 날 나는 컴퓨터를 켰다. 수상한 유튜브 영상이 있어 들어갔고 파일 링크를 걸어두었다 그걸 받고 들어가고 일어난 일들, 그리고 그 게임의 정체는?!

챕터1: 시작 10월 어느 날 11시 0분 학원이 끝났다.

집에 갔더니 7시 10분이다. 다음날에 숙제를 시작했다. 숙제를 끝나고, 컴퓨터를 켰다. 어떤 수상한 유튜브 영상이 나와 있다. 그 영상을 들어가 보니 화질도 낮은 영상과 파일링크 밖에 없었다. 그 영상을 봐보니 재미있어 보인다 "이거 재밌겠다." 나는 파일을 받았다. 그 게임은 오래전에 만들어진 듯 옛날스러운 화질이었다. 혼자하는 것과 멀티플레이가 있었다.

무서운 음악과 피가 여러 군데에 있고, 설정 같은 것도 없었다. 기본적인 게임을 해봤다. 그냥 게임은 피와 갑자기 이상 현상(밤낮 등) 밖에 없다고 할 정도로 이상했다 "이건 좀 무서워" 나는 9시까지 그 게임을 할 정도로 무서운 걸 빼면 괜찮았다.

금요일이다. 나는 학교를 끝나서 집으로 바로 왔다. 나는 오자마자 게임을 했다. 5시 10분쯤 나는 숙제를 했다 나는 또다시 컴퓨터를 했다. 먼저 다른 게임을 하고, 저녁을 먹고 다시 그 문제의 게임을 했다. 더 무서운 음악이 나오고, 피같은 것도 더 많아졌다. 소리를 무음으로 해서 덜 무섭게 했다. 오늘도 기본적인 게임을 하고, 어제 그 현상이 계속되었지만, 무음이기 때문에 덜 무서웠다. 오늘은 금요일이기 때문에 늦게까지 게임을 해도 상관이 없다. 갑자기 12시부터 졸려오기 시작했다. 이제 잠을 잘 시간이다. 11시 30분에 끄고 잠을 자기 전에 태블릿으로 게임을 더하다 잠을 잤다.

챕터 2 : 게임의 정체 토요일이다.

오늘은 마트를 안 가도 된다. 나는 잠을 더 자고 10시에 잠을 깼다 나는 역시 또 태블릿으로 게임을 했다. 점심밥을 먹고, 나는 또 컴퓨터를 켜 유튜브와 다른 게임을 했다. 하지만 중독인가? "이 게임 또 해야지" 하고 싶어서 또 들어갔다. 더 무서워지고, 인터넷에 그 게임을 검색해 보니 2010년에 만들어진 게임이다. 조금 오래됐다. 그 게임은 2017년 2월까지 업데이트가 됐고, 유튜브 영상을 올린 사람이 수정해서 파일링크를 올린 거였다. 나는 놀라서 그 게임을 지웠고, 나는 다시 평범한 일상을 살았다.

게임 2022년의 마지막, 12월, 그중에 30일이다. 평범한 일상을 살고 있었다. 유튜브에 들어가 보니, 2달 전에 그 영상과 비슷한 다른 영상이 올라와 있었다. 그 2단전 게임보다 덜 무서웠다. 또 다시 그 게임을 깔았다. 나는 그 게임을 들어갔다. 평범했다. 나는 그 게임을 들어가면서 6달전 느낀 점 "무섭다, 소름돋다."가 떠올랐다 하지만 나는 지금 저녁 8시라 또 무서워질까봐 다른 게임을 했다. 오늘은 2022년 12월 31일, 진짜 마지막이다. 오늘은 학교를 안가는 토요일이다 "아, 신난다." 역시나 또 게임을 한다. 오늘은 2023년이 시작되기 전날이라 오전 12시까지 잠을 안자고 12시까지 기다려야 한다. 그때까지 조금의 공부와, 밥, 게임을 한다. 그래서 나는 일단 아침 11시에 수학공부 조금을 하고, 점심 12시에는 밥을 먹고, 드디어! 오후 1시에 게임을 한다. "와 신난다." 그래서 나는 그 수상한 게임과 다른 게임들 중에서 할 게임을 골라야 한다. 일단 다른 게임을 먼저 하고 그 수상한 게임을 들어갔다 그것은 바로 귀신으로 추정되는 물체와 다른 퍼들 그리고 무서운 색상이 있었고 "역시 무음이 최고" 그래서 그 게임을 시작했다. 역시 6달 전과 비슷한 현상이 있다. 그것을 무시하고 계속 게임을 했다 갑자기 컴퓨터가 이상해지더니 컴퓨터가 껐다 켜졌다. 그랬다. 나는 바이러스 검사를 했더니 그 파일이 바이러스가 있었다. 나는 지우고 다른 게임을 시작했다. 어느덧 오후 3시, 간식을 먹고 다시 게임을 했다. 저녁 6시에 밥을 먹고 이제 2023년이 4시간 뒤면 시작된다. 그래서 또 게임을 하고 오후 11시 50분 나는 TV를 키고 될 때까지 기다렸다. 3! 2! 1! 드디어 2023년의 시작이다. 일단 졸려서 오전 12시 30분에 잠을 잤다. 2023년 1월 1일 오전 8시, 나는 일어났다.

챕터3 : 오랜만에 돌아온 시리즈

그 다음 주 수요일 나는 유튜브를 본다 "내 이름은 김근육" 그렇게 집을 오고 나의 휴대폰 3대로 게임을 돌리고 그 다음 날도 똑같은 하루지만 학원을 4시쯤에 가고 돌아오고 하루 뒤인 금요일이다. 나는 또 컴퓨터를 키고 갑자기 '환영합니다'가 '지옥에 온걸 환영합니다.'라고 바뀌었다. 내방 불이 꺼졌다, 켜졌다를 반복했다. 최종적으로 꺼졌다. 그리고 둥 둥 두둥 소리를 반복하고 귀신 소리가 들린다. 컴퓨터 화면에는 피가 보이고, 내방 베란다에서 그림자가 보인다 그 그림자가 나에게 다가오는 순간! 나는 일어났다 알고 보니 꿈이고, 게임을 하다 졸려 잠들어서 그 일이 일어난 거다. 과연 그 꿈은 뭘까 나는 어제가 이해가 안된다. 나는 밥먹고 재현을 해볼라고 했다 나는 그렇게 유튜브를 보다 보니 오후 6시가 됐고 나는 또 저녁밥 먹고 유튜브를 봤다. 자주 보는 채널은 '볼수다' 밤 10시쯤 나는 어제 같은 일을 재현하려고 그런다. 그러나 일어나질 않았다. 그 후 나는 금요일까지 평범한 일상을 이어갔다. 그런데… 그 주 토요일 밤 11시경 지난주 토요일에 공포가 느껴지기 시작했다 핏빛 배경화면이 되거나 내방 불이 몇 분 간격으로 꺼졌다, 켜졌다를 반복하고 그 후 나는 대수롭지 않게 생각했다. 그리고 5분 뒤 역시나 귀신 소리가 들리기 시작했다 하지만 이번엔 2~3명 정도에 귀신이 있는 거 같다. 나는 무서워서 컴퓨터를 끄고 이불을 덮고 있었다 귀신소리는 점점 커져갔고, 발자국 소리까지 들린다 그리고 이불이 밀리는 거 같다. 나는 그냥 기다렸다. 한 3분쯤 지났을까? 이불을 살살 걷었다. 그런데 갑자기 귀신이 튀어 나왔다. 나는 그대로 기절했다. 다시 일어났을땐 침대 위였다. 시간은 아침 9시였다. 어제 일은 끔찍했다. 나는 그 후 잠을 잘 안 자거나 늦게 잤다. 한 달 넘게 평범한 일상으로 살았다. 다시 개학날…

챕터4 : 마지막 챕터

2023년 3월 2일 또다시 6학년이 개학했다. 그 후 2023년 3월 24일 어느새 6학년이 개학한 지 한달이 되어간다. 어느새 주말이니 나는 내 방에서 자는데, 장이 이상한 소리 때문에 자꾸 잔다. 이번에 그 귀신소리에 말을 하는 것 같다. 이번에 그 귀신소리에 말을 할 것 같다. 그 말을 자세히 들어보니 "살려줘"라고 하는 것 같다. 나는 무섭다. 그리고 나는 귀신을 설득시키기 시작했다. 좀 시간이 됐을까? 귀신을 설득시켰다. 알고 보니 그 게임에 몇 년후에 죽었다. 그래서 그 후 10분 뒤 귀신이 다시 잠을 잤다. 현재 2023년 잘 살고 있다.

챕터5 : 오랜 시간이 흐른 뒤 나는 현재 고등학생이다.

나는 5년 전인 2022년 12월 31일, 2023년 일기를 발견했다. 진짜 추억이나 이미 나는 신형 컴퓨터로 바꾼지 오래였기에 그 컴퓨터를 다시 가져와 켜 보았다. 추억이 화면이 뜨고 게임이 뜬다. 나는 그걸 찾으려 했으나 전혀 뜨지 않았다. 다시 집어 넣고, 그 날들의 추억을 생각해 보며 잠을 잤다.

신기한 우리의
우정 시계

제17편 신기한 우리의 우정 시계

송현정

(등장인물):주인공 권현주 친구 윤아현

1. 새로운 학기

6학년 1학기가 시작되는 3월 6일 월요일이었다.

"아.... 6학년 때는 성격이 밝아서 친구들 많이 사귀고 싶은데..."

"어?! 안녕? 너도 6학년 2반이구나!"

"아.. 응.."

"나는 윤아현이라고 해! 만나서 정말 반가워"

"아... 나.. 나도 반가워. 나는 권현주...라고 해.."

나는 처음이었다. 나에게 먼저 다가와 준 친구는..

'나도 저런 성격이었는데...' 초등학교 2학년이 시작할 때쯤 현주는 또래처럼 밝은 성격을 지니고 있었다. 하지만 어떤 이유로 친구들과 멀어지게 되고, 지금의 소심한 성격이 되었다... 우연일지도 모르겠다. 교실에는 나의 이름이 적힌 책상과 아현이의 이름이 적힌 책상이 붙여져 있었다.

"우와! 현주? 현주라 했지? 현주야 우리 같은 모둠이네? 히히 앞으로 잘 부탁해!"

"어.. 나야 말로 잘 부탁해"

그러나 말과는 다르게 현주는 어색했다. 그렇게 새학기 첫 날이 끝나고 다음날 또 다음날 ……마지막주 목요일 그 전날 선생님께서는 존경하는 인물 한 분을 조사하고 금요일날 발표를 한다고 하셨다. 어쩌고 보면 지금 같이 조사할 사람과 친하게 지낼 수 있을 것 같았다. 어떤 아이가 교실 문으로 들어온 순간 순식 간에 시끄러워 졌다.

"선생님께서 친구하고 조사해도 된데!"

'에휴 그럼 뭐하냐 같이할 친구가...'

"현주야 나랑 하자!"

"ㄴ..나..나?!"

"응."

얼떨결에 한다고 했지만..... 그래도 내심 싫지는 않았다.

2. 함께 하는 인물 조사

"현주야. 오늘 조사 같이 하는 거 4시에 만날래?"

"그래. 조사 준비물 갖고 학교 앞에서 만나자."

뚜뚜뚜... 전화가 끊어지고 현주는 필요한 물건들을 갖고 약속장소로 갈 준비를 한다. 현주는 오랜만에 같이하는 조사라 기분이 좋았다. 곧 4시가 되고 현주는 아현이를 만나고 도서관으로 갔다. 도서관에 도착을 하고 서로 의견을 주고 받으며 인물을 정하였다.

"그럼 결정적으로 윤희순의병장으로 하면 되겠다." 그 말이 끝난 이후 서로 윤희순의병장과 관련된 자료를 찾고 글을 써내려 갔다. 그렇게 2시간 이후 현주는 글을 다 완성을 했고, 뒤따라 아현이도 글을 다 완성하였다. 다음날 바로 인물조사 발표시간이 다가왔고 다른 아이들 발표를 차례 차례 듣고 우리 조 차례가 왔다. 내가 먼저 말을 하고 그 다음에 아현이가 발표를 하는 걸로 결정하였다.

"그럼 저희 조 발표를 시작하겠습니다. 저희는 윤희순의병장 하였습니다. 윤희순 의병장 부은 일제강점기에 활동한 항일 여성 독립 운동가입니다. 시아버지 유홍석이 의병으로.....그랬으며 1990년 건국훈장 애족장이 추서되었습니다. 이상입니다."

발표 시간이 끝나고 선생님께서 말씀하셨다.

"애들아. 너무 잘 했어. 잘했으니 이거는 성적에 들어가"

선생님 말씀이 끝이 나고 아이들은 선생님 말씀에 충격을 먹은 듯 안 먹은 듯 멋쩍어 웃은 뒤 다음 시간 수업 준비를 하였다.

3. 문구점의 신기한 시계

우리는 정말 인물 조사를 한 다음 서로가 불편하지 않을 정도로 친한 친구가 되었다. 아현이와 현주를 지켜보던 선생님은 현주가 성격이 많이 밝아졌네 라고 말씀하셨다. 그러던 4월 2째주 화요일 선생님께서 2교시에 마니또를 한다고 하셨다. 마니또는 그 누구에게도 말하지 말라고 하셨지만 현주의 눈에는 서로 누구인지 말하는 아이들이 보였다. 그렇게 마지막 6교시가 끝나고 현주는 아현이에게 부끄럽지만 '학교가 끝났으니 하교같이 하자.' 라는 말이 목구멍까지 올라왔지만 그냥 여느 때와 같이 혼자 하교를 하고 있었다. 저 멀리서 "현주야!" 라고 들리는 것 같아 고개를 돌리고 있을 때 뒤쪽에서 아현이가 어깨동무를 돌리고 있을 때 뒤쪽에서 아현이가 어깨동무를 하였다.

"현주야. 너 또 혼자가?"

"음..나는 이게 익숙해서..."

"아...오키오키 어? 저기 문구점이 있었던가?"

"글세, 처음 보는데.. 나도",

"야!!! 야 가보자 얘들도 가는 것 같은데!"

"어 그래 가보자"

그렇게 현주와 아현이는 문구점으로 들어간다.

"(딸랑) 어서오세요."

"안녕하세요."

"우와~대박! 문구점이 이렇게 이쁠 수 있냐?"

"그러게. 깔끔하고 심플하니 다이소 비슷하네"

"어, 맞아. 맞아."

그날따라 그 둘은 시계에 이끌린다.

"이 시계 이쁘다. 살까?"

"그럼..너 사면 나도 사서 같이 맞출래?"

"좋아!"

"이거 주세요."

"허허, 이 두 친구가 보는 눈이 있네."

"왜요? 할머니?"

"계속 쓰면 알게 될 거야. 힘들 때 초 바늘 움직이게 하는 나사 같은 걸 눌러보렴"

"네. 여기요. 다해서 2000원이요."

"(딸랑) 안녕히 계세요."

그 뒤 그 둘은 문구점을 나와 각자 집으로 향한다.